KB185183

십대들이여,
★★★★★
별 다섯 개
문장을 탐하라

십대들이여, 별 다섯 개 문장을 탐하라

(십대를 위한 글쓰기 콘서트 시즌2, 글–문장–문해력)

[행복한 청소년®] 시리즈 No. 10

지은이 | 윤선희
발행인 | 홍종남

2023년 1월 25일 1판 1쇄 인쇄
2023년 2월 2일 1판 1쇄 발행

이 책을 만든 사람들
기획 | 홍종남
북 디자인 | 김효정
교정 교열 | 이홍림
출판 마케팅 | 김경아
출간 전 독자품평회 | 한선민
본문 그래픽 아티스트 | 김영진, 최병하, 송민도, 유연주, 임유진
제목 | 구산책이름연구소

이 책을 함께 만든 사람들
종이 | 제이피씨 정동수·정충엽
제작 및 인쇄 | 천일문화사 유재상

펴낸곳 | 행복한미래
출판등록 | 2011년 4월 5일. 제 399-2011-000013호
주소 | 경기도 남양주시 도농로 34, 301동 301호(다산동, 플루리움)
전화 | 02-337-8958 팩스 | 031-556-8951
홈페이지 | www.bookeditor.co.kr
도서 문의(출판사 e-mail) | ahasaram@hanmail.net
내용 문의(지은이 e-mail) | yl5772@naver.com
※ 이 책을 읽다가 궁금한 점이 있을 때는 지은이 e-mail을 이용해 주세요.

ISBN 979-11-86463-64-2
〈행복한미래〉 도서 번호 095

※ [행복한 청소년®] 시리즈는 〈행복한미래〉 출판사의 청소년 브랜드입니다.
※ [공부가 된다®] 시리즈는 〈행복한미래〉 출판사의 자녀교육/청소년 공부법 브랜드입니다.

십대들이여, ★★★★★ 별 다섯 개 문장을 탐하라

| 윤선희 지음 |

행복한미래

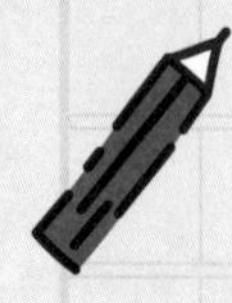

글쓰기 엔딩, 글이 드라마가 되다

글쓰기, 이번엔 끝내자!!

글쓰기 책의 프롤로그에서는 글쓰기의 중요성이나 필요성에 대해 이야기하며 시작해야 할 것 같지만, 수도 없이 들었을 이야기를 다시 언급할 필요는 없다는 생각이 들었다. 글쓰기의 가치를 모르기 때문에 글을 못 쓰는 것은 아니기 때문이다. 물론 틈틈이, 짬짬이, 간혹 가다, 어쩔 수 없이, 나도 모르게… 튀어나와 버리겠지만 대놓고 거론하진 않겠다는 결심이다.

이 책은 알 듯 말 듯 그러나 결국 추상적으로 느껴졌던 혹은 두렵기만 했던 '글쓰기'를 할 수 있다로 바꾸어 주고 싶다는 바람에서 출발했다. 이렇게 하면 쓸 수 있다, 저렇게 하면 쓸 수 있다고 엄청나게 동기부

여를 해주고, 정작 쓰는 건 알아서 써야 하는 막막함을 주고 싶지 않았다. '구슬이 서 말이라도 꿰어야 보배'라는 말처럼 능력과 재능을 갖추고 있더라도 꾸준히 노력하여 값어치 있는 것으로 만들지 않으면 원하는 것을 얻을 수 없다. 어떻게 구슬을 꿰어야 하는지 알려주고, 광고 속 어느 대사처럼 "야! 너도 할 수 있어" 같은 후기를 남기도록 하고 싶었다. 드라마의 멋진 엔딩처럼 글쓰기의 멋진 엔딩을 주고 싶다. 이것이 이 책을 쓰는 절대적인 이유이다.

"책을 보고 따라 썼더니 이제 어렵지 않게 글을 쓸 수 있게 되었어요."

"책을 읽고 따라 쓰다 나만의 글쓰기 방법을 찾게 되었어요."

"책을 읽었더니 지금 당장은 아니더라도 글을 쓸 때 활용도가 높을 것 같아요."

"해피엔딩으로 끝나는 드라마처럼 나의 글쓰기도 해피엔딩이에요."

글쓰기는 대다수가 갖고 싶어 하는 능력 중 하나이지만 특히 학생들이라면 꼭 가지고 있어야 하는 필수 준비물 같은 존재다. 문제집에는 분명히 '생각해 보세요'라고 쓰여 있지만, 말로 들어 줄 리가 없으니 글로 답을 해야 하고, 선생님들 역시 '생각을 정리해 보세요'라고 하시면서 정리된 생각을 녹음해 오라고는 하지 않는다. 즉 웬만한 일들은 거의 모두 글로 써야 하며, 학생들에게 표현을 하라는 것은 글을 써야 한다와 같은 말일 수 있다. 그러니 글을 왜 써야 하는지, 글쓰기를 하면 어떤 점이 좋은지는 생각할 필요도 없다. 어찌어찌 졸업만 하면 끝날 것 같은 글쓰기가, 대학에서부터 사회생활까지 계속 이어지며 사무치게 간절한 능력템이 된다는 사실도 잊으면 안 된다. 그러니 이번에는 반드시 글쓰기 고민을 끝내야 한다.

이 책을 처음 읽을 때는 가볍게 쭉 읽으며 전체적인 흐름을 훑어보기 바란다. 국영수 공부하듯 꼼꼼히 하려다 보면 작심삼일이 될지도 모른다. 어떤 일에서든 실력을 높이기 위해서는 자신이 가지고 있는 문제 사항을 아는 것이 첫 출발점이다. 글쓰기 역시 마찬가지다. 그러니 가볍게 읽으며 무엇이 글쓰기를 어렵게 했는지, 부족한 부분들을 어떻게 채워야 하는지, 어떤 부분을 연습해 봐야 하는지 등을 생각해 보는 시간이 필요하다. 만약 쓰기가 두렵지는 않은데 글을 잘 쓰지 못한다고 느낀다면 4부 '문장이 작품이 되는 순간, 나도 이제 작가 클래스?'의 8가지를 읽어보라. 그러면 자신이 글쓰기에서 무엇을 고쳐야 하는지 알 수 있을 것이다.

순서에 상관 없이 책을 다 읽었다면 그리하여 나의 문제를 어느 정도 확인했다면, 글쓰기 공책을 하나 정해 하루에 한 장, 아니면 한 단락만이라도 연습하겠다는 결심을 하자. 이때 반드시 지킬 수 있는 계획을 세우는 것이 중요하다. 그래야 미루지 않고 연습할 수 있고, 책을 다 읽고 난 후 글쓰기가 쉬워지는 감동의 순간을 맞이할 것이다.

이쯤에서 꼬리를 무는 생각들이 뭉게뭉게 떠올라야 한다. 도대체 글을 잘 쓴다는 것은 무엇일까? 나는 왜 글을 못 쓰는가? 이 책을 읽는다고 글을 잘 쓸 수 있을까? 등의 궁금증이 생겨나야 한다. 그런 탐구적인 태도가 이 책의 구석구석을 살펴보게 할 테니까.

좋은 글이 무엇이라는 정답이 딱 정해져 있진 않을 것이다. 비문도 보이고, 맞춤법과 띄어쓰기 등 엉망이지만 꾹꾹 눌러 쓴 글에 감동 받아 눈물이 났던 글도 있다. 반면에 화려한 수사법으로 탄탄한 문장력을 자랑하지만, 마음에 와닿지 않아 읽다가 말게 되는 글도 있다. 그러니 좋은 글은 읽을 때 이해하기 쉽고, 읽고 나서 공감이 되는 글이 아닐까 한다. 그런 이유에서 막연하게 좋은 글을 쓰자고 말하고 싶지 않다.

우리의 목표는 좋은 글을 쓰려는 것이 아니다. 누구나 읽기 편하고, 이해하기 쉬운 글을 쓰는 것과 어렵지 않게 글을 쓰는 것이 목표다. 초행길이지만 친절한 내비게이션이 있으니 어렵지 않게 원하는 곳으로 갈 수 있을 거라는 든든한 마음을 갖는 것처럼, 이 책과 함께한다면 술술 글을 쓸 수 있게 될 거라는 믿음을 갖게 하는 것이다.

다시 말하지만 이 책의 목표는 '책을 읽고 따라 했을 뿐인데 글쓰기가 쉬워졌어요'라는 드라마 같은, 해피엔딩의 후기를 남기도록 돕는 것이다. 가슴 설레는 그 순간을 위해 이제 시작해 보자.

차례

2부

글쓰기에도 베이스캠프가 있다

3부

지금, 마법 같은 문장이 탄생합니다

4부

문장이 작품이 되는 순간, 나도 이제 작가 클래스?

5부

퇴고 ; 악성 댓글을 피하는 방법

1부

별 다섯 개★★★★★를 받는 방법

1

★★★★★

나에게 글쓰기란?

"저는 글쓰기를 못해요."

"글 쓰는 게 진짜 싫어요."

"어떻게 써요?"

"뭘 써요?"

글을 써야 한다는 말을 듣자마자 쏟아지는, 쓰기에 대한 부정적인 말들을 듣고 있노라면 도대체 글을 쓴다는 것이 왜 이리 저항을 일으키는 일이 되었을까 하는 생각이 든다. 그럴 때마다 답답한 마음이 들어 글쓰기란 도대체 무엇이며, 우리에게 어떤 의미인가 곰곰이 생각해 보게 된다. 그래서 각자 글쓰기에 대한 정의를 먼저 내리고 시작하는 것이 좋다.

글쓰기를 가장 힘들게 하는 적은 막연하게 느끼는 두려움이 아닐까 싶다. 두려움은 두려워하는 대상의 실체를 알 수 없을 때 생겨난다. 어린 시절 어두운 방 안에서 귀신이라고 확신하며 벌벌 떨게 했던 것들이, 불을 켜고 보면 엄마가 벽에 걸어둔 모자이거나 인형을 덮어 놓은 담요일 때도 있었다. 밝은 곳에서 그것이 무엇인지 알고 난 뒤에는 두려움이 사라졌던 기억도 있을 것이다.

글쓰기도 그렇다. 왜 글쓰기가 싫은지에 대해 구체적으로 생각해 본 적 없이 무조건 싫다거나 못 쓰겠다는 식으로, 정확한 원인을 알고자 하는 마음도 없이 무턱대고 혹은 습관적으로 거부한다. 막상 몇 가지 문제를 해결하면 어려움 없이 쓸 수 있을지도 모르는데 말이다.

안타깝게도 쓰기나 읽기는 본능적으로 되는 일이 아니라고 한다. 말하기나 듣기처럼 우리의 유전자 DNA에 내장되어 있지 않다. 나이가 들면서 점점 능숙해질 수 있지만, 기본적으로 교육이 바탕이 되었을 때 가능한 일이다. 제대로 배우지 않는다면 나이가 든다고 해서 자연스럽게 될 리가 없다. 그래서 쓰기를 제대로 배우지 않을 경우 원인이 무엇인지 알지 못한 채 두려움을 갖게 되며, 그 두려움이 점점 커져 글쓰기를 포기하게 만든다. 여기에 여러 사람 앞에서 글쓰기와 관련되어 부끄러운 경험이 있다거나, 좋지 않은 평가를 받았던 트라우마가 있다면 작가가 되어 본 적도 없으면서 절필 선언을 하는 것이다.

어린 시절 우리는 음성언어, 즉 말로 자신의 많은 것을 표현했다. 그러다 읽기와 쓰기를 배우면서 음성언어 이외에 자신을 표현하는 세련되고 의미 있는 수단을 갖게 되었다. 하지만 어렵게 배우지 않고도 유창하게 표현할 수 있는 음성언어의 편의성 때문에 글을 쓰는 것보다는 말로 하는 것을 선호한다. 글로 쓰기는 힘들고, 말로 하는 것은 쉽다고 느끼는 것이다. 글보다는 말이 더 친숙하기 때문일 것이다.

그렇다면 말하는 것처럼 글도 제대로 배워 익숙해지면 쉬워지지 않을까. 글 대신 말로 하는 경우에도 내용이 부족한 부분을 질문하면 부담스러워하면서 차라리 그냥 글로 쓰겠다고 답하는 경우도 있다. 따라서 어쩌면 글쓰기가 어렵다기보다는 쓸 거리가 없거나, 생각을 정리하지 못한 것일 수도 있다. 글을 쓰는 능력 이전에, 필요한 부분들이 갖추어지지 않아서 그럴 것이다. 무엇을 써야 할지 모른다거나 글감에 대해 제대로 이해하지 못했다거나 등의 문제들 때문에 말이다.

이 책에서는 어느 정도 타고난 재능이 필요하다고 여겨지는 '문학적인 글쓰기'는 대상에서 제외하려고 한다. 한 권의 책에 담기 벅차기도 하고, 이해하기 쉬운 글을 쓰자는 확실한 목표를 익혀야 하기 때문이다. 한 가지 방식만이라도 제대로 익혀 둔다면 어린 시절 한번 배웠던 자전거 타기가 시간이 지나 잊혀진 듯 했건만 어느 날 문득 타려 할 때 몸이 기억해서 타는 것처럼 글쓰기 역시 한번 원리를 알면 어느 때라도 꺼내 쓸 수 있을 것이라 믿는다.

작가가 되고 싶지도 글쓰기가 좋지도 않지만 다양한 이유로 실용적인 글을 써야 하는 일들이 많으니 제대로 한 번 배워 두려움 없이 써 보자. 학교에서는 각종 과제에 무슨 무슨 날이라 이름 붙인 대회 글쓰기, 진학을 위한 논술, 대입에서는 사라진다고 하지만 진학과 취업을 위해 남아 있는 자기소개서 쓰기, 대학 과제인 레포트 쓰기, 회사에서의 메일 쓰기, 보고서 쓰기 등 아직은 멀게 느껴지는 일일지 모르지만 온갖 곳에 글쓰기가 필요하다는 사실을 잊지 말자. 지금도 누군가에게 SNS 메시지를 보낼 때만 해도, 불필요한 설명과 오해가 생기지 않도록 하려면 제대로 글을 써야 원활한 의사소통이 될 수 있다. 그러니 제대로 배워 두고 두려움 없이 글을 쓸 수 있도록 하자.

글쓰기의 정의가 내려졌다면 이제 각자 마음 속으로 글쓰기가 필요한 이유에 대해 자신을 설득 시켜 보자. 프롤로그에서 언급했듯이 살면서 내내 필요한 일이라면 한 번쯤 제대로 배워야 한다는, 나름의 논리적인 설득 과정이 필요하다. 그래야 책에서 지향하는 대로 따라 하며 두려움 없이 쓸 수 있을 뿐 아니라 자신감이 생길 것이다.

시작이 반이라는 말은 무엇을 배울 때 유용한 말이 된다. 아마도 지금이 그때가 아닐까? 시작이 반이라고 했으니 여기까지 읽었다면 반은 글쓰기를 시작한 셈이다.

이 책을 쓰는 나 역시 이쯤 썼으면 반은 썼다고 믿어 본다.

나에게 글쓰기란 무엇인가 생각해 보고, 자신을 위해 글쓰기를 해야 하는 이유 3가지를 적어 보자. 이 책을 읽는 동안 마법의 주문처럼 되새겨 보기 바란다. 비비디바비디부♪♬

1.

2.

3.

2
★★★★★
배경지식은 힘이 세다

글쓰기가 어려운 이유를 첫 시간에 묻곤 하는데, 뭘 써야 할지 모르겠다는 대답이 빠지지 않는다. 다시 말하면 '무엇을, 어떻게 써야 할지 모르겠다'로 정리된다. 대부분 이런 막막함에 대해 공감할 것이다. 작가들 역시 미리 무엇을 쓸지, 어떻게 쓸지 준비하지 않고 백지를 대하면 이런 상태가 될 것이다.

다이어트를 위해 운동을 결심했다고 해서 운동을 바로 잘하게 되는 것도 아니고, 살이 쭉쭉 빠지는 것도 아닌 것처럼 세상 웬만한 일은 쉽게 얻을 수 없다. 결심을 하고, 실행하고, 노력의 시간이 지나야만 원하는 것을 얻을 수 있다. 그러니 이제 글쓰기를 잘하려고 결심했다면 공을 들일 준비가 필요하다. 공든 탑이 무너지지 않는다는 말처럼 무너지지 않을 탑을 쌓을 준비를 해야 한다.

글을 쓸 때 무엇을 먼저 해야 하는지는 '닭이 먼저냐 달걀이 먼저냐'처럼 딱 정할 순 없다. 어떤 글을 쓰느냐에 따라, 또는 글을 쓰는 사람의 습관에 따라서도 달라진다. 그럼에도 글쓰기 의욕을 높이기 위해서 가장 먼저 챙겨야 하는 것은 배경지식이 아닐까 생각한다.

배경지식은 전투식량에 비유할 수 있다. 전투에서 식량이 없다면 심각한 문제 상황에 빠지게 된다. 역사적으로 알려진 다수의 전투에서도 적을 물리치기 위해 식량 보급로를 먼저 차단한다. 아무리 군사가 많아도 그들의 체력을 유지시켜 줄 식량이 없다면 적의 공격이 아니어도 짧은 시간 안에 자멸하게 된다. 그러므로 전쟁 상황에서 식량은 어떤 무기보다 중요한 자원일 수 있다. 글쓰기에서는 배경지식이 바로 전투식량과 같다. 굳이 글쓰기가 아니라 대화를 할 때에도 자신이 아는 주제가 나올 때 할 말도 많아지고 흥미도 높아진다는 사실을 기억한다면 글을 잘 쓰기 위해서 미리 배경 지식이 준비되어야 함을 쉽게 알 수 있다.

과학의 날이라 관련 쓰기를 해야 한다고 생각해 보자. 과학에 관심도 없고 관련된 지식도 없다면, 무엇을 쓸지 고민하기도 전에 막막한 기분이 들 것이다. 정신 차리고 글을 써 보려 하지만 무엇을 써야 할지 구체적으로 떠오르지 않는다. 이때 배경지식이 있다면 미래 과학의 발전에 대해, 현재 과학의 문제점에 대해, 과학 윤리에 대해, 로봇의 발전 방향에 대해 등등 다양한 글감들이 떠오를 것이다. 하지만 실상은 아는 내용이 없으니 머리가 텅 비어 버린다. 즉 어떻게 써야 하는지 잘 알고 있다고 해도 글감으로 써야 할 그 '무엇', 즉 배경지식이 없다면 모두 무의미해진다. 레시피는 있는데 요리 재료가 없는 상태와 같다.

이런 이유로 우리는 과학의 날에 대해 써야 한다면 관련된 다양한 종류의 책을 읽는 것이 가장 좋을 것이고, 뉴스를 스크랩해서 과학을 바라보는 전망이나 현재 과학의 흐름 등을 찾는 것도 좋고, 관련 영화 한 편을 보고 그것에 대해 생각하는 것도 좋다. 어디에서 글감을 찾든, '무엇'에 해당하는 배경지식을 갖춰야 비로소 쓰기를 시작할 수 있다.

그런데 이런 배경 지식도 쓰기만큼이나 갑자기 찾아서 자신의 것으로 만드는 것이 쉽지 않다. 충분히 읽고, 생각하고, 내용에 대해 철저하게 이해한 후 글을 써야 한다. 그렇지 않다면 부지불식간에 짜깁기나 베끼기가 될 가능성이 높다. 그러니 틈틈이 배경지식을 갖추도록 노력해야 한다. 가장 좋은 것은 머릿속에 저장해서 필요할 때마다 꺼내 쓰는 것일 테지만 우리의 기억력은 한계가 있다. 그러니 노트나 파일을 만들어 책의 글귀나 영화의 대사, 뉴스 등 마음에 들거나 인상 깊은 것들을 스크랩해 두는 습관을 들여 보자.

날짜	2022년 7월 29일	나의 아이디어 남기기
책 제목	십대들이여, 첫 문장을 탐하라	첫 문장만 쓸 수 있다는 건가? 아님 첫 문장 이후의 글도 쓸 수 있게 되는 걸까?
작가	윤선희	다른 책들도 찾아봐야겠다.
내가 찾은 한 문장	뇌는 변화하지 않고 그대로 머무르려는 마음 상태인 항상성을 원한다. 변해야 한다는 특별한 동기 부여가 없으면, 뚜렷하게 잘할 수 있다는 보장이 없다면, 실패 경험이 있다면 저항을 하는 것이다. 현재의 상태를 유지하는 것이 더 이롭다고 여기기 때문이다.	뇌는 신비하다. 지난번에 텔레비전에서 정재승 박사님의 뇌 관련 강의를 들을 때도 너무 재미있었는데… 뇌가 사람들의 심리를 좌우한다니….
적어 둔 이유	무슨 일을 할 때 내가 잘할 수 있을거란 생각이 바로 들지 않는 경우 머뭇거리게 되고, 시작하는 데 게으른 경우가 많았다. 이 글을 읽으며 이유를 알거같았다.	사람의 마음에 관련된 글을 쓸 때 인용해 봐야지.

3

★★★★★

결국은 어휘력이다

'쓰기 막힘(Writing Block)' 연구에서는 글을 쓰지 못하는 이유를 크게 인지적 요인과 정서적 요인으로 나누어 설명합니다.[1]

글을 쓰지 못하는 인지적 요인은 쓰기 전략, 어휘 선택 등 글쓰기와 언어 자체에 대한 지식의 부족이 있습니다. 글을 잘 쓰기 위해서는 글을 쓰는 방법을 알아야 하고, 어휘량이 어느 정도 확보되어야 한다는 뜻입니다.

(중략)

1 박신정, 〈초등학생의 쓰기 막힘 현상에 대한 원인 분석 연구〉, 광주교육대학교 석사학위논문, 2014.

어휘는 글을 쓰는 재료입니다. 미술 재료가 부족하면 제대로 된 작품이 나오기 어려운 것처럼 글을 쓰는 재료인 어휘가 부족하면 글이 풍부해지기 어렵습니다.[2]

영어 공부의 왕도는 무엇보다 단어를 많이 아는 것이라고 한다. 길게 부연하여 설명하지 않아도 알 것이다. 단어를 모르면 의미를 전혀 이해할 수 없으니, 문법도 독해 방법도 의미가 없게 된다. 그런 이유로 영어 공부를 하는 학생들은 밤낮으로 단어장을 들고 다니며 외우고, 서점에서도 단어 공부법에 관련된 책들이 넘쳐나는 것이다.

쓰기도 영어 공부와 매우 흡사하다. 어휘를 능숙하게 잘 부려 쓰는 사람이라면 같은 내용의 글을 써도 신선하게 읽히고, 독자들을 유혹하는 글을 쓸 수 있다. 게다가 글을 쓸 때 가능하면 같은 문단에 똑같은 단어를 2번 이상 쓰는 것은 좋지 않다. 그렇게 쓰면 절대 안 된다는 법은 없지만 같은 낱말을 계속해서 쓰면 내용을 이해하는 것이 어렵고, 같은 문장을 계속 읽고 있다는 생각이 들기 때문이다. 또 깊이 생각하지 않고 쓴 글처럼 느껴질 수도 있기 때문에, 가능하면 대체할 수 있는 낱말을 찾아 고치는 것이 좋다.

2 윤희솔, 《하루 3줄 초등 글쓰기 기적》, 청림Life, 2020, 148~149쪽.

나는 빵을 좋아한다. 내가 좋아하는 빵은 초코가 듬뿍 묻은 빵인데, 초코가 묻은 빵을 먹으면 기분이 좋다.

이런 경우 '빵'이라는 말과 '좋아한다'는 말이 반복된다. 문장도 짧은 단문이 이어지는 유아적인 느낌이다. 깊이 생각하지 않고 쓴 글처럼 느껴진다.

나는 빵을 좋아한다. 최고로 여기는 것은 초코가 듬뿍 묻은 것으로, 먹을 때 미소를 짓게 된다.

짧은 문장이지만 이렇게만 바꿔도 이해하기도 쉽고, 유아적인 느낌도 없어진다. 만약 이것을 다시 한번 다음과 같이 바꾼다면 어떨까.

내가 가장 좋아하는 음식은 먹을 때마다 미소 짓게 하는, 초코가 듬뿍 묻은 빵이다.

이렇게 바꾸면 '가장 좋아하는 음식은'이라는 서두 부분을 통해 무슨 이야기를 하려는지 관심을 갖고 읽게 되며, 앞선 문장들에 비해 이해하기 쉽다.

일기를 제외한 나머지 글들은 읽는 사람, 즉 독자를 염두에 두고 써야 한다. 일기를 뺀다면, 글을 쓴다는 것은 누군가 읽는다는 것을 전제로 하는 것이기 때문이다. 그러니 글을 쓸 때는 독자를 고려해 이해하기 쉽도록 낱말을 선택하는 것이 매우 중요하다.

작가들은 독자의 이해를 돕기 위해 혹은 맛깔나는 표현을 위해 비슷한 뜻을 가진 단어들을 최대한 많이 나열한 후 삼고초려하듯 단어를 선택한다고 한다. 그렇게 할 수 있으려면 사전과 친해야 한다. 요즘은 종이사전을 쓰는 사람이 거의 없고, 모두 스마트폰이나 인터넷 사전을 쓰기 때문에 고루하게 들릴 수도 있지만, 사전을 찾아 낱말의 뜻을 이해한 후 유의어를 함께 알아 두면 도움이 많이 된다. 만약 고루하다는 뜻을 잘 모른다면 '고루하다'를 사전에서 찾아보자.

> 고루하다(固陋하다) 「형용사」 낡은 관념이나 습관에 젖어 고집이 세고 새로운 것을 잘 받아들이지 아니하다.
>
> 고루한 인습.
>
> 고루한 사고방식.
>
> 고루한 선비.
>
> 「비슷한 말」 완고하다(頑固하다), 완루하다(頑陋하다)

출처 : 국립국어원 표준국어대사전

이렇게 해서 고루하다는 뜻과 함께 '완고하다'와 '완루하다'라는 단어 2개를 더 알게 되었다. 물론 한 번 보고 단어의 뜻을 외울 수도 없지만, 외우라는 것도 아니다. 다만 사전을 찾는 습관이 들면 계속해서 틀렸던 영어 단어가 어느새 익숙해져 쉬운 단어가 되는 것처럼, 어휘력이 좋아지게 될 것이다. 아니, 그럴 수 있다고 믿는다.

글을 쓸 때 아는 배경지식이 많다면 쓰는 것이 편하고, 아는 단어가 많다면 세련되고 이해하기 쉬운 글을 쓸 수 있다. 그러니 많이 읽고, 많이 경험해 보자. 글은 하나의 단어에서 시작해 문장을 이루고, 문장들이 모여 단락이 되어 하나의 글이 완성된다는 것도 잊지 말자.

4
★★★★★
별 다섯 개★★★★★를 받는 방법

'눈치가 빠르면 절에 가도 젓갈을 얻어먹는다'라는 말이 있다. 절에서는 살생을 금하기 때문에 새우젓 같은 것을 먹는 것도 금하는데, 눈치가 빠르고 세상 물정에 밝은 사람이라면 절에서도 젓갈을 먹는다, 즉 어디에 가서도 못할 것이 없다는 말이다. 사람에겐 이런 눈치가 있어야 하는데, 글쓰기에서도 그렇다.

글은 읽는 사람, 즉 독자가 있다는 가정하에 쓰는 것이다. 내가 혼자 보려고 쓰는 일기를 제외하면, 모든 글이 가지는 의미는 자신의 생각을 누군가에게 전달하려는 데 있다. 이때 전달하려는 내용을 단순히 말하고 있는 것 같아도 그 안에는 설득하려는 의도를 가지는 경우가 많다. 설득은 사전적 의미로 '상대방이 내가 말하는 대로 따르도록 하기 위해 다양하게 깨우쳐 말하는 것'이다. 따라서 그 글을 읽는 사람이 내가 말하는 것에 공감하기를, 또는 미처 알지 못했던 것을 깨우치기를 바란다는 의도가 있다. 비슷하게는 리뷰에서 별 다섯 개(★★★★★)를 받고 싶은 마음, 최고라는 칭찬을 받고 싶은 욕망이 있는 것이다.

그러면 독자를 어떻게 해야 설득할 수 있을까? 먼저 글을 쓰기 전에 독자에 대해 충분히 알고 있어야 한다. 만약 자신을 소개하는 글을 쓴다면, 무조건 자신이 말하고 싶은 것을 늘어놓으며 소개하는 것은 옳지 않다. 먼저 자기소개서를 쓰는 이유가 무엇인지, 읽을 대상이 어떤 사람인지 생각해 봐야 한다. 자기소개의 목적이 신학기가 되어 학교 선생님께 자신을 소개하기 위한 것인지, 아니면 원하는 동아리에 들어가기 위해 제출하려는 것인지 등, 이유가 명확히 정해져야 한다. 그래야 무엇을, 어떻게 쓸지 정할 수 있다.

신학기에 학교 선생님께 자기소개서를 쓰는 경우

- 자신의 성격의 장단점과 지난 학년에서의 생활 태도
- 이번 학년에서의 자신의 마음가짐이나 목표
- 이번 학기에 자신이 바라는 점

방송반 동아리에 들어가기 위해 자기소개서를 쓰는 경우

- 자신이 방송반에 들어가고 싶은 이유
- 자신이 방송반에 적합한 이유
- 들어가서 자신이 하고 싶은 일

글을 읽을 사람에 대한 눈치, 즉 독자를 제대로 파악한 경우에는 똑같은 자기소개서라 해도 써야 할 내용이 완전히 달라진다. 그러므로 글을 쓰기 전 반드시 해야 할 일 중에 하나는 독자를 제대로 이해하는 것이다. 부족한 부분이 있다면 그만큼 받을 수 있는 별의 개수는 줄어들 것이다. 별 다섯 개를 받으려면 읽는 사람이 글쓴이의 마음과 생각을 충분히 이해하고 공감할 수 있으며, 궁금한 점을 해결했을 때만 가능하다.

그런 이유로 주제에 집중해서 써야 한다. 자기소개서를 써야 하는데 어머니와 아버지의 성실함과 자애로움에 대해 쓰고, 자신의 집안 가훈에 대해 길게 설명한다든지 하면서 자신의 이야기가 아닌 가족 소개로만 채우면 안 된다. '자신을 소개'하라는 주제를 최대한 살릴 수 있도록, 항상 주제를 염두에 두고 써야 한다.

글의 주제) 자신의 성장 배경에 대해 쓰세요.

1. 저는 컴퓨터 프로그래머신 아버지와 학생들에게
미술 지도를 하시는 어머님, 그리고 두 살 터울의
여동생이 있습니다. 화목한 가정에서 자라
가족들과의 사이도 좋습니다. 평소 집안의
가훈에 따라 언제나 감사하는 마음으로 살려고 합니다.

2. 저는 언제나 감사한 마음으로 살자는 집안의
가훈대로 늘 감사한 마음을 가지려고 노력하는
긍정적인 사람입니다. 가족들과 대화를 많이
나누는 덕분에 낯선 사람들과도 쉽게 대화를
나누며 친해지는 친화력을 가지고 있습니다.

두 글을 읽고 어떤 경우가 글쓴이를 더 잘 알 수 있다고 생각하는가. 아마도 2번일 것이다. 또 2번 글은 1번 글에서 쓰려고 했던 가족의 화목함이나 가훈 등에 대해서도 충분히 전달하고 있다. 그러므로 먼저 자신이 쓰려고 하는 주제를 잘 파악하고, 독자에 대한 이해가 완료되었다면 독자를 위해 어떤 식으로 글을 풀어 나가야 설득력이 있을지를 고민하면 된다. 눈치가 있는 사람이 절에서도 젓갈을 먹는다는 말은 글만이 아니라 인생사에서 두루두루 적용되는 말이겠지만, 글을 쓸 때도 독자가 무엇을 원하고 있는지 정확하게 살펴보고 나서 글을 쓰는 눈치작전이 필요하다. 그래야 별 다섯 개★★★★★를 받는 글이 될 수 있다.

|글쓰기 톡! Talk?|

관찰 : 글쓰기의 시작 포인트

비록 이 훈련이 간단하기는 하지만 쉽지 않다는 생각이 들지도 모른다. 많은 사람들은 주변세계에 관심을 돌리는 행위를 하면서도 끊임없이 평가와 판단을 통해 자신의 생각을 몰고 가기 때문이다. 자신이 무엇을 하는지 깨닫지 못한 채로 '저 여자는 무슨 옷을 저리 지저분하게 입었나?' 하거나 '이 음악은 도저히 못 들어주겠군!' 하는 식으로 주목하는 상태에서 성급하게 판단하는 상태로 넘어간다. 하지만 관찰은 판단이 아니다. 관찰은 판단의 태도가 아니라 주목의 태도를 지니고 주변의 일에 관심을 쏟는 자세를 요구한다. 이를테면 '저 여자는 노란 줄무니에 빨강과 초록

이 섞인 옷을 입었네'라든가 '이 음악은 두 가지 소리가 계속 반복되는군' 하는 식이다.

관찰하는 법을 배우기 위한 첫 단계는 속도를 낮추는 것이다.[3]

작가가 되려면 운전을 배우지 말라는 말을 들은 적이 있다. 운전을 하면 사물을 스치듯 지나치기 때문에 자세히 살피거나 가까이서 관찰하지 못하기 때문이다. 지하철만 타더라도 다양한 사람들의 수많은 행동을 보게 되고, 표정 하나하나를 살피거나 직접 경험할 수 있다. 그러나 운전을 하게 되면 이런 것들을 놓치게 되기 때문이다.

식상하지 않은 글을 쓰기 위해서는 자신의 생각과 경험, 그리고 관찰과 함께 지식이 곁들여져야 한다. 그래야만 좋은 글이 나올 수 있다.

학생들과 글쓰기 수업을 할 때 교실에서 보이는 사물 중 하나를 골라 글로 설명하게 한다. 직접 그 사물의 이름을 넣지 않고 최대한 세밀하게 묘사해 보도록 하는데, 사물을 통해 다양한 표현 방법을 고민해 보고, 쓰기에서 관찰이 매우 중요한 과정이라는 것을 알게 하려는 것이다.

지금 자신의 눈에 보이는 다양한 것들을 직접 이름을 언급하지 않고 설명해 보자.

3 바버라 베이그, 《하버드 글쓰기 강의》, 에쎄, 2011, 123쪽.

학생 글 1

여름에 사용되는 물건으로 평상시에는 존재조차 느껴지지 않는다. 그러나 위풍당당하게 서 있는 모습이 여름이 되면 소중한 존재로 느껴지며 끌어안고 살고 싶다고 느껴질 정도로 고마운 존재가 된다. 여름, 하면 무조건 필수템이다. 그러나 사는 것도 쉽지 않고, 수리를 받기 위해서도 오래 기다려야 한다. 내 나름의 이름을 붙여주자면 '여름 컨디션 지키미'로 하고 싶다.

학생 글 2

여긴 도서관. 당연히 이것으로 가득 채워져있다. 어떤것은 재미있고, 어떤 것은 전혀 관심이 가지 않고… 만화 형태로 되어 있거나 그림으로 채워진 것은 시간을 때우기에 적절하다. 그러나 보통 시간을 투자해서 읽어야 하고, 이해하기 위해 미리 알고 있어야 하는 것도 있기 때문에 성장하면서 보통 별로 좋아하지 않게 되는 듯하다. 그러나 늘 읽어야 한다는 부담감은 있다. 이걸 많이 읽으면 좋은 인간이 되는 것처럼, 혹은 인생의 답을 얻을 수 있는 것처럼 말들을 하기 때문이다. 이것은 작가들이 쓰는 그것

2부

글쓰기에도 베이스캠프가 있다

1

★★★★★

가치 : 왜, 글을 쓰는가?

땀띠가 난다. 고등학교 이후 오랜만이다. 이 더위에 글쓰기 책을 쓰겠다며 컴퓨터 앞에서 문장을 썼다, 지웠다… 다시 읽고 또 지웠다, 썼다… 경험상 그렇게 좀 지나면 책이 한 권 나온다. 뭔 부귀영화를 누리려고 베스트셀러 작가도 아니면서 또 책을 쓸까, 생각하다 그래도 이 거룩한 일을 할 수 있음에 감사하다. 여지껏 팔려 나간 책처럼 이 책도 그렇게 누군가의 손에 들려 읽히고, 밑줄도 그어지고 어느 부분은 공감을 불러오며 삶의 한 부분에 도움이 되기도 하리라. 그래, 그런 이유로 나는 오늘도 쓰고, 써야 한다. 돈이 많지 않으니 기부를 많이 하지 못하지만 글로 기부를 하고, 글로 나누는 일을 하는 것이라 믿어 본다.

글을 쓰는 이유는 사람마다 다르지만, 확실한 이유 한 가지는 말하고자 하는 바가 있기에 쓸 것이다. 나의 경우처럼 글쓰기에 대해 알려 주고자 하는 이유에서부터, 행복한 마음을 나누고 싶어서, 또는 슬픔을 위로받기 위해 쓰거나, 주장하는 바가 있어 설득을 하고자 쓸 수도 있다. 학생들의 경우는 일기나 편지, 또는 SNS에 올리는 글들을 제외하면 대부분 선생님이 내 주시는 과제 성격으로 쓸 것이다. 이런 이유에서 글쓰기가 싫어지는지도 모르겠다. 하고 싶은 이야기가 있어서 쓰는 것이 아니라 주어진 글감에 맞추어 하고 싶은 이야기를 짜내어서 써야 하니 말이다.

글쓰기가 힘든 이유를 써 보세요.

글을 쓰기 싫은 이유는 너무 많다. 그중에서 손으로 써야하는 것이 가장 큰 이유다. 손이 아프다. 컴퓨터로 글을 쓸 때는 그나마 나은데, 손으로 쓰려면 지우고 다시 쓰고 또 쓰고 ….
그리고 선생님이 쓰라고 내주시는 주제에 대해서도 뭘 써야 하는지 잘 모르겠다. 글은 평소에 쓰고 싶다고 생각해 본 적이 아예 없는 건 아니다. 가끔은 나도 뭔가 쓰고 싶다고 생각 했지만 학교에서 쓰라고 하는 주제들은 다 힘든 주제인 데다 뭔가 알아야 하는 것들뿐이다.

내 생각을 자유롭게 쓰는 글을 써보고 싶다.

글을 쓰기 싫은 이유는 그림을 그리기 싫은 이유와 같다.
아무리 잘해 보려고 해도 다른 사람들이 쓴 글을 보면
대단하다는 생각 밖에 안 든다. 생각이 없는 건지 뭘
써오라고 해도 아무런 생각이 들지 않는다. 말로 하라면
할수 있는데, 글로 쓰는 건 어렵다. 그래서 글쓰기가 싫다.

대부분 위의 글과 비슷한 이유들이지 않을까 한다. 학생들 글을 읽다 보니, 어쩌면 자신이 쓰고 싶은 이야기나 잘할 수 있는 이야기가 주제라면 힘들이지 않고 쓰지 않을까 하는 생각이 들었다. 자신이 잘 아는 주제가 나오면 대화할 때 할 말도 많고, 신나는 마음으로 수다를 떨게 되는 것처럼 말이다.

하지만 현실의 상황이 잘 알고, 쓰고 싶은 주제로만 글을 쓰는 일이 쉽지 않다. 그러니 이제 글감이 주어진다면 글을 써야 할 주제라고 생각하기보다는 누군가와 대화를 하기 위한 이야깃거리라고 생각하면 어떨까. 친구가 나에게 질문을 하면 낯선 질문이라도 최선을 다해 나의 생각을 말하게 되는 것처럼, 글감을 내게 주어진 질문이라고 생각해 보자. 실제로 학교에서 글감으로 내 주는 질문들은 살면서 한 번쯤은 생각해 보면 좋은 것들이기도 하다.

어린 시절 국군의 날이면 군인들에게 선물을 준비하고 편지를 쓰게 하는 시간이 있었다. 초등학생 시절이었으니 군인들이 모두 나이 많은 아저씨처럼 느껴졌던데다 알지도 못하는 사람에게 편지를 쓰라니. 아마 반 아이들 편지를 다 보진 못했지만 나라를 지켜 줘서 든든하고, 우리가 편하게 살 수 있어 감사하다 뭐 이런 이야기로 채워져 있지 않았을까 한다. 어쩌면 천편일률적이고 형식적인 것처럼 보일 수도 있지만, 그래도 그런 시간이 있었기에 아이들이 잠시라도 군인들의 노고를 생각하는 시간을 가질 수 있었다는 생각이 든다. 당시의 나도 나름 진지하게 감사의 마음을 담아 열심히 편지를 썼던, 동심 가득한 어린이였다. 이렇게 어떤 이유로든 글감은 우리를 돌아보게 하며, 다양한 삶에 대해 생각하게 한다.

친구의 질문에 무성의하고 무가치한 답을 하는 사람이 없는 것처럼, 우리도 글에 가치를 담아 최선을 다해 생각한 결과를 보여 주려 애써야 한다. 그 옛날 초등학생들도 국군장병에게 쓴 편지에 감사하다는 마음을 담았고, 그것이 읽는 사람에게 전달되기를 바랐다. 물론 그 편지는 아마도 군인들에게 기대만큼의 위로가 되지는 않았을지도 모른다. 일방적으로 감사합니다라는 나의 생각만을 담고 있는 데다 편지 봉투를 뜯어 보지 않아도 알수 있을거 같은 내용을 담고 있었기 때문이다. 그러므로 우리는 글을 쓸 때 글 안에 담는 가치가 읽는 사람에게도 의미 있는 가치가 될 수 있도록 써야 한다. 그런 가치를 느끼게 하기 위해서는 글감에 대해 깊이 생각하는 것은 물론이고, 새로운 관점을 담기 위한 노력도 필요하다.

환경을 생각하자는 말을 많이 하는데, 아파트 분리 배출일에
엄마 따라 나가 보면 엄청나게 쌓여 있는 플라스틱과 비닐,
그리고 다양한 상자 같은 종이까지 재활용품들을 보게 된다.
마음이 답답해진다. 우리 아파트에서만도 이리 많이 나오는데
도대체 다른 곳, 아니 우리 나라 전체를 합치면 그 양을 상상할
수도 없을 것 같다. 일회용품을 진짜 줄여서 써야겠다는
생각을 하게 되는 하루였다.

이 글은 읽는 사람들에게 환경을 보호하자는 가치를 전하면서 그 실천으로 일회용품을 줄이자고 제안하고 있다. 그러나 읽는 사람의 입장에서 보면 일상적으로 많이 보고 듣던 말이어서 별다른 가치를 전달 받지 못할 가능성이 많다. 여러분이 이 글을 읽게 된다면 마음 속으로 무슨 생각이 들겠는가? 아마도 '뭐지? 이 글을 왜 쓴거지? 일기아니야?' 같은 생각이 들지도 모른다. 이 글을 쓴 이유를 알 수 없기 때문이다. 그러니 글을 쓸 때 내가 생각한 가치를 전달하기 위해서는 친숙한 소재라 해도 새로운 관점을 보게 해야 한다. 누구나 다 아는 사실이라면 글을 읽고 난 뒤 시간 낭비를 했다는 생각을 지울 수 없을 것이다.

환경을 보호해야 한다. – 친숙한 소재

일회용품 사용을 줄이자. – 친숙한 제안

자연 친화적인 용품을 쓰고, 일회용품을 재사용할 수 있는 방법을 고민하자.

– 새로운 관점

환경을 생각하자는 말을 많이 하는데, 아파트 분리 배출일에
엄마를 따라 나가 보면 엄청나게 쌓여 있는 플라스틱과 비닐,
그리고 다양한 상자 같은 종이까지 재활용품들을 보게 된다.
마음이 답답해진다. 우리 아파트에서만도 이리 많이 나오는데
도대체 다른 곳, 아니 우리나라를 합치면 그 양을 상상할 수도
없을 것 같다. 일회용품을 진짜 줄여서 써야겠다는 생각을
하게 되는 하루였다.

하지만 일회용품을 줄이는 것이 쉬운 일은 아니기에 좀더
세심한 실천 방법이 필요하다. 일단 누군가의 말처럼
칫솔부터 바꿔보자. 대나무 칫솔은 썩는 것이니 플라스틱
보다 환경에 좋을 것이다. 또 물티슈 대신 빨아서 쓰는
다회용 행주를 사용하자. 그리고 무엇보다 일회용품을
일회용품이 되지 않도록 하자. 잘 닦고 말려서 용기가
필요할 때 쓴다면 일회용품 사용이 의미 있어질 것이다.
아는 가게에서 주변 사람들에게 아이스팩을 받아다가
잘 닦고 말려서 재활용하는 경우를 봤다. 이처럼
일회용품을 이회용품 혹은 삼회용품이 되도록 실천해보자.

처음 쓴 글을 읽고 학생과 대화를 나눈 후 고쳐 쓴 글이다. 앞의 글보다는 실천 방법에 대해 더 구체적으로 이야기하고, 제안까지 하고 있어서 그렇구나, 나도 이렇게 해 볼까 하는 마음이 들지 않는가. 글을 쓴 사람이 전달하고자 하는 가치에 독자가 얻게 될 가치까지 생각해서 써야 하는 이유다. 편지를 읽지 않아도 무슨 이야기가 쓰여 있는지 알겠다는 생각이 들도록 하면 안 되는 것처럼, 글을 쓸 때는 나만의 가치 있는 이야기와 새로운 관점을 담고자 노력해야 한다. 그렇다고 세상에 없는 기발한 이야기여야 한다는 것은 아니다. 읽으면서 '그래서 어쩌라는거지?' 혹은 '이 글을 왜 썼을까?'라는 생각이 들게 하지 말자는 것뿐이다.

2

★★★★★

순서 : 문장에도 우선순위가 있다

기사글은 주로 역피라미드 방식으로 쓴다. 읽는 사람에게 필요한 핵심적인 정보를 전문이라고 불리는 앞부분에 두기 때문에, 전체를 읽지 않아도 중요 내용을 파악할 수 있다. 지면을 고려해 글의 분량을 늘리거나 줄일 때에도 핵심 내용을 그대로 두고 뒷부분만 고치면 되니 글을 쓰는 사람에게도, 읽는 사람에게도 효율적이다.

기사글뿐만 아니라 보통의 글도 끝까지 읽는 사람은 많지 않다. 그래서 첫 문장이 중요한 역할을 한다. 첫 줄을 읽으면서 긴 글을 끝까지 다 읽을 것인지 말 것인지 결정하는 경우가 많기 때문이다. 학습을 위해 읽는 경우가 아니라면, 흥미가 느껴지지 않는 글은 더더욱 읽으려고 하지 않는다. 그러니 반드시 처음 글을 쓸 때부터 글의 순서를 어떻게 두어 독자에게 내 글을 끝까지 읽게 할지 고려해야 한다.

그렇다고 꼭 기사글처럼 핵심을 먼저 말해야 한다는 것은 아니다. 관심을 갖게 하는 내용으로 시작해 핵심을 말할 수도 있다. 따라서 핵심을 먼저 쓰는 방식을 선택할 것인지, 하고자 하는 말을 뒷부분에 넣을지, 또는 중간에 넣을지 등 글의 구성을 고민해야 한다.

> 오레오 맵은 'Opinion**의견**, Reason**이유**, Example**사례**, Opinion/Offer**의견 강조 및 제안**'
>
> 의 각 첫 글자를 딴 단어에 지도라는 뜻의 맵**MAP**을 더해 만든 말입니다.
>
> Opinion**의견** → Reason**이유** → Example**사례** → Opinion/Offer**의견 강조 및 제안**
>
> 이 순서대로 생각과 자료를 배열하고 배치(mapping)하면 저절로 논리정연한 흐름이 완성됩니다. 이것만으로도 설득력 높은 쓸거리가 개발됩니다. 오레오 맵은 쓸거리를 만드는 도구로써 논리적으로 독자를 설득하는 메시지를 만들어 냅니다.[4]

4 송숙희, 《150년 하버드 글쓰기 비법》, 유노북스, 2018, 67~68쪽.

하버드대학에서 가르치는 글쓰기 방식이다. 먼저 자신의 의견을 말하고, 왜 이런 이야기를 하는지 이유를 설명하고, 설득력을 갖기 위해 사례를 들고, 다시 한번 의견을 강조하거나 그에 따른 제안을 하는 방식이다. 역시나 기사글처럼 자신이 말하고자 하는 핵심을 먼저 말하는 방식이다. 이런 글쓰기는 독자가 완독하지 않더라도 자신의 의견을 전달하기에 좋다. 이 방식대로 글을 써 보고 익혀 둔다면 읽는 사람을 설득할 수 있는 논리적인 글을 쓸 수 있을 것이다.

방학 기간에는 학습에서의 문제점을 파악해서 고쳐 나가야 한다. — 의견

문제점을 파악하지 않고 지나가면 나쁜습관이 고착되어 학습 향상에 방해되기 때문이다. — 이유

오답노트 작성 시에 처음작성할 때는 시간이 많이 들었지만 문제점을 찾아 개선한 이후 절반 이상의 시간을 줄일 수 있었고 성적 향상의 결과도 있었다. — 사례

그러므로 주기적으로 자신의 학습에 문제가 없는지 학습 일기를 쓰면서 꾸준히 관찰하고 시간 여유가 있는 방학 기간에 멘토의 도움을 받아 문제점을 찾아 고쳐 나간다면 좋은 결과를 얻을 수 있을 것이다. — 의견, 강조 제시

오레오 단계에 맞추어 써 본 글이다. 의견을 먼저 말했기 때문에 밑의 글을 읽지 않아도 어떤 흐름이 이어질지 예상할 수 있고, 이유와 사례를 들고 마지막에 다시 한번 의견을 강조하면서 탄탄해졌다.

이런 기본적인 글의 순서가 익숙해졌다면 앞서 말한 것처럼 관심을 끄는 글을 만들기 위해 순서를 바꾸어 보는 전략도 세워야 한다. 자신이 강조하고 싶은 문장, 또는 사람들이 관심을 가지리라 생각하는 문장의 순서를 바꾸어 보면서 다양한 글을 시도해 보자. 나만의 문장, 나만의 문단을 찾게 될 것이다.

글의 순서를 전략적으로 바꾸는 시도를 하고 나서 책을 읽으면, 이전까지 한 덩어리로 보이던 글들이 문장과 문단으로 나누어져 보일 것이다. 나 역시 글을 쓰게 되면서 읽기 능력이 더욱 향상되었다. 반대로, 제대로 책을 읽다 보면 글을 쓸 때 어떤 순서가 이해를 높이고 흥미를 유발하는지 배우게 되기도 한다. 구양수가 말한 다독(多讀), 다상량(多商量), 다작(多作)이 이해가 되는 부분이다. 다양한 책을 읽음으로써 좋은 글에 대해 배우고, 사유를 통해 자신의 생각을 깊이 있게 하여 창의적인 생각과 가치를 담고, 많이 써 보면서 이를 표현하는 연습으로 글쓰기 실력을 높일 수 있을 테니 말이다.

오답노트 작성시에 처음 작성할 때는 시간이 많이
들었지만 문제점을 찾아 개선한 이후 절반 이상의
시간을 줄일 수 있었고 성적 향상의 결과도 있었다.

사례

그러니 방학기간에는 학습에서의 문제점을 파악해서
고쳐 나가야 한다.

의견

문제점을 파악하지 않고 지나가면 나쁜 습관이 고착되어
학습향상에 방해되기 때문이다.

이유

주기적으로 자신의 학습에 문제가 없는지 학습 일기를
쓰면서 꾸준히 관찰하고 시간 여유가 있는 방학 기간에
멘토의 도움을 받아 문제점을 찾아 고쳐 나간다면
좋은 결과를 얻을 수 있을 것이다.

의견,
강조 제시

무엇을 강조하고 싶은지에 따라 이처럼 순서는 자연스럽게 바꿀 수 있다. '아' 다르고 '어' 다르다는 말처럼 글을 쓸 때도 단어 하나로, 또는 문장의 순서로 다른 느낌을 주는 글로 변화시킬 수 있다. 문장의 순서를 정하는 일도 글쓰기의 전략이 된다.

3

★★★★★

질문 : 글이 막히는 순간

〈내게 있었던 일 쓰기〉

지난주 금요일 학교 앞에서 나는 봉변을
당했다. 버스 정류장에 서 있다가 전날 내린
비 때문에 생긴 웅덩이를 세차게 밟고 지나가는
차 때문에 몸이 다 젖은 것이다. 재수가 진짜
없는 날이다. 이런 꼴로 학원은 또 어쩌란
말인지 아침부터 어이없게 지각을 하고
진짜 되는 게 하나도 없는 날 같았다

하고 싶은 말은 무엇인지 알겠지만, 여러모로 엉성한 느낌을 주는 글이다. 읽는 사람을 배려하지 않고 쓰는 사람의 머릿속에서 떠오르는 이야기들을 두서없이 줄줄 적어 놓았기 때문이다. 많은 사람들이 일반적으로 글을 쓰는 방식이기도 하다. 주어진 글감에 따라 떠오르는 생각들을 쓰지만, 고치는 시간을 갖지 않는 것.

좋은 방식이 아닌 듯도 하지만 가끔은 이런 방식을 권하기도 한다. 우울하고 무기력한 사람에게 일단은 가볍게 산책을 하거나 설거지 같은 일을 하면서 움직여 보라고 처방하는 것과 같은 이유이다. 일단 쓰다 보면 생각이 정리되기도 하고, 새로운 아이디어들이 나오기도 하므로 글을 쓰고 충분한 퇴고의 시간을 갖기만 한다면 나쁘지 않다. 글을 쓰기 전에 계획을 세워 차근차근 쓰는 방법이 효율적일 수 있지만, 때에 따라서는 일단 무조건 써 보라는 처방을 주고 싶다. 하지만 일단 무조건 쓰라는 말조차 도움이 되지 않는다면 질문에 답하듯 쓰는 것을 권한다.

글을 쓴다는 건 독자가 묻는 질문에 답하는 것이라 생각한다. 글을 읽을 때 작가와 대화하듯 읽으라고 하는데, 이 말의 뜻을 달리 해석하면 작가가 글을 쓸 때 독자가 던진 질문에 답을 하듯 썼다는 말이기도 하다. 글감에 맞추어 질문을 예상해 보고, 그것에 답을 하듯 써 보자. 다 쓰고 나서 문장과 문장을 매끄럽게 잘 연결하기만 한다면 쉽게 글을 완성할 수 있는 방법이기도 하다.

질문에 답하듯 쓰기 위해서는 글감을 보고 어떤 것이 궁금한지 질문을 만들어 보는 것이 먼저다. 친구나 다른 사람들에게 글감을 알려 준 후 어떤 질문을 하고 싶은지 물어보는 것도 좋다. 이 책에서 자세하게 다루지는 못하지만, 어떻게 질문하고, 어떤 질문이 좋은지를 담은 책들도 많다. 질문에 대해 알아 두면 글을 쓸 때 적절하게 어울리는 질문을 하는 것은 물론이고 일상생활에서도 유용하게 활용할 수 있다. 좋은 질문일 경우에는 질문에 답을 했을 뿐인데 완성도 높은 글을 쉽게 쓸 수 있다.

〈질문하기〉

- 최근에 무슨 일이 있었나?
- 기억에 남는 이유는 무엇인가?
- 그 일로 나의 기분은 어떤 변화가 있었나?

지난주 금요일 흙탕물을 뒤집어 쓰는 일을 당했다. 내 잘못도 아닌데 학원 선생님한테도, 엄마에게도 잔소리를 들어서 짜증이 났기 때문이다. 아침부터 지각을 해서 기분이 그다지 좋지 않았는데 흙탕물 사건으로 하루종일 재수없는 날처럼 느껴졌다. 지나서보니 지난 일은 재미있게 기억되기도 한다는 생각이 든다.

질문을 만들고, 답을 하듯 썼다. 그런데 뭔가 부족한 느낌이다. 이럴 때는 글을 다듬는 과정이 필요하다. 매끄럽게 다듬는 것은 물론이고 추가해서 설명해야 하는 부분에는 보태서 더 써야 한다.

지난주 금요일 흙탕물을 뒤집어쓰는 일을 당했다. 학교가 끝나고 버스정류장에서 기다리던 중에 웅덩이에 물이 고여 있는 것을 모르고 빠른 속도로 지나가던 차 때문이었다. 내 잘못도 아닌데 학원 선생님한테도, 엄마에게도 잔소리를 들어 짜증이 났다. 흙탕물로 범벅이 된 것은 내 부주의가 아님에도 엄마는 조심하지 그랬냐며 한심하다는 듯 보셨고, 학원 선생님은 흙탕물에 범벅이 되어버려 학원에 갈 수 없다는 내 말을 믿지 않으셨다. 아침부터 지각을 해서 기분이 그다지 좋지 않았는데 흙탕물 사건으로 하루종일 재수 없는 날처럼 느껴졌다. 하지만 지금은 친구들에게 만화 속 장면을 이야기하듯 악몽 같은 에피소드로 이야기하고 있다. 신기하게도 지난 일은 재미있게 기억되는 것 같다. 그러니 안좋은 일이 생겼을 때는 나중에 웃으며 이야기할 추억이 생겼다는 것도 기억한다면 그날의 나처럼 막 짜증이 나지 않을 것 같다.

질문을 통해 답을 하고, 다듬기를 통해 부족한 부분을 채우고, 마지막으로 글을 쓴 이유, 즉 전달하고 싶은 가치를 담으니 좋은 글이 되었다. 이렇게 읽는 사람이 무엇을 궁금해할지 질문하고 답하듯이 써 본다면 쓰는 사람도 읽는 사람도 편한 글이 될 수 있다.

4

★★★★★

발효 : 글은 발효 시간이 필요하다

피터 엘보는 《힘 있는 글쓰기》에서 "글을 잘 쓰려면 먼저 나쁘게 쓸 줄 알아야 한다"라고 했다. 줄리아 카메론은 "진정한 아티스트가 되기 위해서는 먼저 어설픈 아티스트가 되어야 한다"라고 했다.

(중략)

자연조차도 많은 것을 버린다. 민들레는 수많은 홀씨를 날리지만, 그중 몇 개만 겨우 뿌리를 내리고 싹을 틔운다. 개구리 한 마리는 수백만 개의 알을 낳지만, 대부분은 다른 수중 동물들의 먹이가 되고 몇십 개만 올챙이가 된다. 올챙이 중 겨우 몇 마리만 개구

리로 자란다.[5]

세상 무슨 일을 하더라도 이런 마음이 필요하다. 이런 마음이란 서투름에서 능숙함으로 변화하는 과정을 기다리는 마음, 그런 과정이 있음을 이해하며 포기하지 않는 마음이다. 부족했다 여기며 버리고, 버려야 완성에 이르게 된다는 그런 마음만 있다면 무슨 일을 하더라도 배울 수 있는 자세가 되었다고 할 수 있다.

글쓰기에서도 이런 자세는 중요하다. 글쓰기를 배우려는 많은 사람들을 만나 보았는데, 그중에는 작가가 된 사람도 있지만 조금만 더 글을 썼더라면 좋은 결과가 있었을 텐데 하는 생각이 들어 아쉬움이 남는 사람도 있었다. 또 처음부터 글을 잘 쓰는 사람도 있었지만 대다수는 비슷비슷한 실력으로 글쓰기를 잘하고 싶다는 열망을 가지고 오는 경우가 일반적이었다. 나중에 작가가 된 사람과 그렇지 않은 사람과의 차이가 무엇이었는지 생각해 보면 끝까지 글을 쓰고 싶어 했는지, 아니면 중도에 포기했는지의 차이였다. 자신이 쓴 글에 빨간펜으로 일명 '지적질'이라 불리는 수정 표시를 하거나 글의 의도를 묻는 질문을 하면 대부분의 사람들은 낙심하여 결석을 하기도 하고, 자신은 재능이 없다는 식으로 글쓰기를 포기하곤 했다. 그래서 한때는 어떻게 하면 잘 가르칠까 하는 고민보다 어떻게 하면 재미있게, 끝까지 포기하지 않고 글을 쓰고 싶도록 할까

5 고홍렬, 《글쓰기를 처음 시작했습니다》, 세나북스, 2020, 76쪽.

하는 것이 내 고민이었다.

글을 잘 쓰기 위해서는 끝까지 써 보겠다는 강한 의지도 필요하겠지만 그와 더불어 잘못 쓴 글, 부족한 글은 언제든지 버리고 과감하게 다시 쓰는 연습의 과정을 겸허히 받아들이겠다는 의지도 필요하다. 글을 고치는 것은 쉽지 않은 일이다. 어떤 경우에는 다시 쓰는 것이 오히려 나은 경우도 있다. 피터 엘보나 줄리아 카메론처럼 글을 잘 쓰는 이들에게도 그 전에 나쁘게 쓰거나 어설픈 경우가 있었다는 것을 기억해야 한다. 그래야 자신의 단계에서는 연습하는 마음으로 쓰고, 버리고, 다시 쓸 각오를 하는 것이 중요한 일이라는 것을 알게 된다. 그렇지만 여기서 버린다는 것이 먼저 쓴 글을 물리적으로 버리는 행위를 의미하는 것은 아니다. 이미 썼던 글을 과감히 지우고, 고치는 것을 주저하지 말라는 의미이다.

자신이 쓴 글은 잘 쓴 것이든 아니든 차곡차곡 모아 두는 습관을 들이는 것이 좋다. 나의 경우 어린 학생들은 물론이고 성인들을 지도할 때도 자신이 쓴 글을 모아 처음 글과 최근의 글들을 비교하며 읽어 보기를 권한다. 글쓰기 능력이 발전하지 않는다고 걱정하던 사람도 지난 글들을 살펴보면 변화하고, 일취월장했다는 것을 느낄 수 있기 때문이다. 그러니 지금부터라도 자신이 쓴 글은 한 문장이라도 모아 두고 다시 읽어 보는 시간을 갖길 바란다.

글은 발효시켜야 한다. 나의 경우도 책을 쓸 때 한 번에 술술 써내려 가며 썼던 글이라도 보통은 2~3일의 시차를 두고 숙성을 시키듯 발효 시간을 갖는다. 그러면 그 전에는 눈에 보이지 않던 비문, 중복된 말들, 이해가 어려운 문장들이 비로소 보인다. 그렇게 고치고, 고치기를 몇 번 반복하다 보면 책이 나온다. 그러니 너무 못 쓴 글이라고 포기하지 말고 발효 시간을 갖고 다시 고치길 바란다. 고치다 보면 글이 점점 더 좋은 글이 되기도 하지만, 글쓰기 실력 자체가 향상된다. 문장을 다듬으면서 그냥 써 내려갔을 때보다 문장력을 갖출 수 있을 뿐만 아니라 독자가 되어 읽으면서 주제에 대해 다양한 사고를 할 수도 있기 때문이다. 그런 의미에서 글쓰기 단계에 반드시 퇴고 단계를 넣는 것이고, 의도적으로 시차를 두고 글을 다듬는 것이다. 처음에는 나쁜 글, 어설픈 글이라도 일단 써 보고 고쳐 나가는 시간을 가지는 것이 글의 완성도를 높이는 전략이 될 수 있다.

|글쓰기 톡! Talk?|

필사 : 문장력 강화 프로젝트

"카드로 결제하실 건가요. 아니면 현금으로?"

엄중한 순간에 던져지는 이런 사소한 질문에 대해, 그 기묘한 효과에 대해, 직업적 호기심으로 생각해 보곤 한다. 예를 들어 형장에 들어서는 사형수에게 계단으로 올라갈 건지, 엘리베이터로 올라갈 건지를 물을 수 있다. 인간은 질문을 받으면 답을 하도록 훈련되어 있다. 예정된 죽음이라는 절체절명의 순간에도 인간은 약간의 고심을 할 수 있고 눈앞에 닥쳐온 진짜 문제를 잠시 망각할 수 있다. 지갑에는 위안화 현금이 있었지만 나는 신용카드로 결제하기로 했다. 한 연구에 따르면 현금으로 결제하는 것은 뇌에서 고통을 느끼는 영역을 활성화시킨다고 한다. 아무리 자의로 주는 돈이라 해도 빼앗긴다는 느낌이 드는 것이리라. 신용카드는 내 지갑에서 나와 잠깐 상대방에게 건너가지만 곧 되돌아온다. 현금은 가면 돌아오지 않는다.[6]

보통 독서에서 다독을 많이 권하지만 나는 여러 가지 이유로 다독보다는 제대로, 천천히 읽기를 권하는 편이다. 천천히 읽으면서 마음에 드는 문장을 소리 내어 읽어 보기도 하고, 필사를 하면서 글이 주려는 메시지만이 아니라 글쓰기까지 배우는 것도 방법이기 때문이다. 위의 글을 필사도 하고, 글쓰기에 대한 이야기를 할 때 자주 인용하는 이유도 현금을 쓸 때 사람의 뇌가 고통을 느낀다는 내용이 인상적이었기 때문이다. 한 번도 생각해 본 적이 없었던 신선한 생각들이었다. 작가란 이런 사람들인가 감탄했던 부분이기도 하다. 자신의 경험을 이야기하며 관련된 지식을 통해 자신의 느낌을 온전히 전달하고, 공감되는 글을 쓰는 능력이라니.

수업시간에 이 부분을 인용해서 글을 써 보게 했다. 위 글을 읽고 자신이라면 어떤 글을 쓸지 고민해서 똑같이 써도 좋고, 내용을 자기 나름대로 바꾸어서 써도 좋다고 했다. 학생들은 이 글을 읽고 내 생각보다 다양한 주제의 글을 썼다. 현금을 쓰는 것을 뇌가 고통으로 느낀다는 점을

6 김영하, 《여행의 이유》, 문학동네, 2019, 10쪽.

두고는 돈을 모으려면 현금을 써야겠다는 생각에서부터, 이별을 했을 때도 뇌가 다쳤을 때 고통을 느끼는 부분을 아파한다는 이야기 등을 함께 쓰면서 뇌가 잘 속는다는 점을 이야기한 친구들도 있어, 재미있는 글쓰기 시간이었다.

한 연구에 따르면 현금으로 결제하는 것은
뇌에서 고통을 느끼는 영역을 활성화 시킨다고 한다.
아무리 자의로 쓰는 돈이라해도 빼앗긴다는 느낌이 들기 때문이라고 한다.
신용카드는 내 지갑에서 나와 잠깐 상대방에게 건너가지만 곧 되돌아온다.
현금은 가면 돌아오지 않는다.
그래서 사람들이 돈을 모으려면 카드를 만들지 말라고 하나보다.
지나친 카드사용이 빚을 남긴다는 말이 과학적이었다는 생각이 든다.
근데 이런 문장을 보며 현금을 기부하는 사람은 대단한 사람이라는 생각이 들기도 했다.
뇌에서 고통을 느끼는 영역이 남을 돕는다는 기쁨으로 보완할 수 있다니 대단하다는 생각이다.
연말에 길을 가다 자선냄비에 기부를 하려고 할 때 만원짜리를 넣는 것도 고민이 되던데,
큰돈을 기부하는 사람들을 보면 대단하다는 생각이 든다.
나도 돈을 많이 벌면 그럴 수 있을까 하는 생각을 해 봤다.

글을 읽고 기부를 떠올려 공감할 수 있게 잘 썼다. 현금을 쓰는 것이 뇌에 고통을 준다는 새로운 사실을 읽고 기부와 연결한 점이 놀라웠다. 필사를 한 후 글을 쓸 때 필요한 부분을 기억했다가 가져다 쓴 좋은 사례라고 생각한다.

저는 10년 넘게 방송 일을 하면서 구어체와 쉬운 단어로 이루어진 '말글'에 익숙해졌습니다. 덕분에 문장은 간결했지만 진부한 표현을 쓰는 나쁜 습관이 생겼습니다. 필사를 하면서 그 습관을 많이 고쳤습니다. 남의 글을 베껴 쓰면서 늘 쓰던 단어와 문장 구조 범위를 벗어났기 때문입니다.[7]

필사는 글쓰기 실력을 향상시켜 주는 연습 방법으로 많은 작가들이 추천한다. 스스로 쓴 글을 고치는 것은 쉬운 일이 아니다. 운동을 할 때도 개인 트레이너에게 강습을 받아야 비로소 나쁜 습관이 고쳐지기도 하고, 제대로 된 운동 방법을 배울 수 있다. 필사는 개인 트레이너를 두는 것과 같다. 한 글자, 한 글자 따라 쓰면서 문장력을 키울 수도 있고, 글의 구성 방법을 배울 수도 있다. 우리 조상들이 소리 내서 글을 읽고, 필사를 하며 학문을 했던 모습을 생각한다면 감탄하지 않을 수 없다.

7 김선영, 《나도 한 문장 잘 쓰면 바랄 게 없겠네》, 블랙피쉬, 2021, 46쪽.

3부

지금,
마법 같은 문장이 탄생합니다

1

★★★★★

자유로움(P) vs 계획(J)

"드디어 제주도를 간다니 신난다. 우리 무엇부터 준비하면 좋을까?"

"각자 얼마씩 드는지 경비 먼저 정해야 하는 거 아니야?"

"엥? 뭐야, 여행이라면 가장 먼저 사진 찍을 인스타 감성 카페를 찾는 게 먼저지."

"언제 갈 건데? 다 함께 시간이 맞는지 정해 봐야 하는 거 아니야?"

친구들과 제주도 여행을 가려고 할 때 어떤 방식으로 준비하는 게 맞다고 생각하는가?

사공이 많으면 배가 산으로 간다는 말이 생각나는 상황이다. 여행만이 아니라도 어떤 일에 계획을 세워 본 일이 있다면 이렇게 서로 다른 의견들로 시끌시끌했던 기억들이 있을 것이다. 특히 mbti 성향들이 상반되는 경우라면 더욱 힘들다. 즉흥적인 경향이 있는 p와 계획을 세워 놓고 움직이고 싶어하는 j가 함께라면 어떨까. 하지만 이런 성향들도 선행된 경험이 있다면 우선 순위가 무엇인지 알 수 있지만, 처음 계획을 세워 보는 경우라면 머릿속에 들쑥날쑥 떠오르는 생각들로 복잡해져서 갈피를 잡기가 힘들다.

글쓰기 역시 여행 계획을 세우는 것처럼, 무엇을 어떻게 쓸지 전체적인 순서를 계획하는 것이 필요하다. 물론 그 순서가 정해진 법칙처럼 존재하는 것은 아니다. 어쩌면 글을 쓰는 사람의 수만큼 다양할지도 모른다. 나 역시 글을 쓸 때 매번 같은 방식으로 글을 쓰지는 않는다. 어떤 날은 무엇을 쓸지 목차도 짜 보고 이런저런 책을 읽으며 쓸 내용을 차근차근 준비하지만, 어떤 때는 무작정 쓰고 싶은 말을 생각나는 대로 적은 후에 퇴고의 시간을 많이 갖기도 한다.

쓰기 전에 계획을 짜는 일은 처음 해 보는 서투른 일이므로 하기 전부터 힘들다고 단정적으로 생각할지도 모른다. 그렇지만 의식하면서 몇 번의 과정을 거치다 보면 자연스럽게 익혀지는 것은 물론이고, 계획 없이 글을 쓸 때보다 수월하다는 것도 알 수 있다. 처음 가 본 길은 멀게 느껴지지만 돌아오는 길은 미리 길을 알기 때문에 처음과는 달리 가깝게 느끼는 것과 같다. 제주 여행의 계획이 성공이었든 실패였든 중요하지 않다. 어떤 쪽이든 다음번 여행은 능숙하게 준비할 수 있을 테니까.

공부를 하다 보면 처음엔 수학을 어렵게 생각하지만 학년이 올라갈수록 국어가 어렵다는 것을 알게 된다. 국어 문제는 답처럼 느껴지는 두 개 중 '가장 알맞은', '가장 적당한' 것을 골라야 하기 때문이다. 딱 맞아떨어지는 답을 찾는 게 쉽지 않다. 늘 두 가지 답 중 어느 것인지 알기가 어렵기 때문이다. 글쓰기도 그렇다. 이렇게 저렇게 쓰라고 제시되는 그럴듯한 방법들이 있지만, 딱 맞아 떨어지는 정답을 찾는 건 어렵다.

이런 이유로 글쓰기를 가르치는 일 역시 어렵다. 누군가에겐 '가장 알맞은' 것이 다른 이에겐 '그럴듯한' 것으로 끝나기도 하기 때문이다. 그러니 이 책의 방법을 따라 연습해 보고 자신과 맞는다면 익숙해지도록 연습하고, 그렇지 않다면 기본적인 방법을 알았으니 자신만의 방법을 찾길 바란다. 중요한 것은 정해진 순서나 좋다고 하는 방법대로 한 번쯤 해본 경험이 있다면, 그렇지 않을 때보다 훨씬 수월하게 진행할 수 있다는 것이다. 막막할 틈도 없이, 어떻게 시작해야 하는지 정해져 있으니 일단 시작하면 끝을 낼 수 있다. 이 책을 읽다 보면 자연스럽게 자신의 방식과 책에서 이야기하고 있는 방식의 공통점과 차이점을 찾게 될 것이다. 그리고 글을 쓰기 전에 어떤 방식으로 쓸지 계획도 세울 수 있게 될 것이다.

학생들이 글을 써야 하는 경우에는 자유 주제가 주어지기보다는 대부분 글감이 미리 정해진다. 따라서 우리가 글을 쓰는 순서는 글감에 맞추어 배경지식이 필요한지, 또는 다른 자료가 필요한지 확인하는 것부터 시작될 것이다. 그런 뒤 자신이 글을 통해 하고 싶은 말이 무엇인지 주제를 정하고, 쓸 이야기의 순서를 어떻게 할지 개요를 짠 다음, 쓰기 단계로 들어가면 된다. 이후 수정 단계인 퇴고를 거치면 한 편의 글이 완성될 것이다.

글쓰기의 과정

1. 글감 정하기
2. 쓸거리 찾기(브레인스토밍)
3. 주제 문장 만들기
4. 개요표 짜기
5. 쓰기
6. 퇴고

전체적으로 글을 쓰는 순서에 대해 이해했다면 이제 왜 글을 쓰려고 하는지 생각해 보자. 물론 학교 과제니까, 수행 평가니까 같은 뻔한 이유를 생각하라는 것은 아니다. '왜?'라는 질문을 해야 한다. 이런 글감으로 글을 써야 하는 이유가 무엇인지, 어떤 이유로 글을 쓰려고 하는지 글을 통해 무슨 말을 하고 싶은지, 누구를 대상으로 쓰는지 등, '왜?'라는 질문을 많이 할수록 읽는 사람이 이해하기 쉽고, 공감 가는 글을 쓸 수 있다. 거창하게 생각하지는 않아도 좋지만 여행을 가기 위해 계획을 미리 세워야 하는 것처럼, 쓰기 전에 반드시 거쳐야 하는 과정이다. 지금 하려는 일의 이유와 방법을 생각하는 과정에서 무엇을 가지고 어떻게 글을 쓸지 아이디어가 생기기도 하며, 창의적인 글을 쓸 수 있게 된다. 그러니 글을 쓰기 전에 나는 '무엇을, 왜' 쓰려고 하는지 충분히 생각해 보기 바란다.

나는 왜 쓰려고 하는가?

1. 순전한 이기심. 똑똑해 보이고 싶은, 사람들의 이야깃거리가 되고 싶은, 사후에 기억되고 싶은, 어린 시절 자신을 푸대접한 어른들에게 앙갚음을 하고 싶은 등등의 욕구를 말한다.

(중략)

2. 미학적 열정. 외부 세계의 아름다움에 대한, 또는 낱말과 그

것의 적절한 배열이 갖는 묘미에 대한 인식을 말한다. 어떤 소리가 다른 소리에 끼치는 영향, 훌륭한 산문의 견고함, 훌륭한 이야기의 리듬에서 찾는 기쁨이기도 하다.

(중략)

3. 역사적 충동. 사물을 있는 그대로 보고, 진실을 알아내고, 그것을 후세를 위해 보존해 두려는 욕구를 말한다.

4. 정치적 목적. 여기서 '정치적'이라는 말은 가장 광범위한 의미로 사용되었다. 이 동기는 세상을 특정 방향으로 밀고 가려는, 어떤 사회를 지향하며 분투해야 하는지에 대한 남들의 생각을 바꾸려는 욕구를 말한다. 다시 말하지만, 어떤 책이든 정치적 편향으로부터 진정으로 자유로울 수 없다. 예술은 정치와 무관해야 한다는 의견 자체가 정치적 태도인 것이다.[8]

조지 오웰의 《나는 왜 쓰는가》에서 발췌한 글이다. 물론 우리가 왜 쓰는가를 고민하는 것은 이렇게 거창하고 철학적인 이유를 생각하라는 것은 아니다. 다만 이 글을 통해 왜 쓰는가를 고민하는 작가의 모습을 보여주고 싶었다. 우리만이 아니라 대가들도 글을 쓰기 전에는 손으로 쓰든 머릿속으로 생각하든, 반드시 거쳐야 하는 의식처럼 어떤 글을 쓸지 생각하는 과정을 반드시 가진다.

---

8 조지 오웰, 《나는 왜 쓰는가》, 한겨레출판, 2010, 293~294쪽.

2

★★★★★

머릿속에 떠오르는 대로 vs 생각 끄집어내기

뇌는 나의 것인데, 시험을 볼 때나 중요한 순간에 말을 하려고 하면 분명 알고 있는 것인데도 생각이 나지 않아 답답했던 기억이 있을 것이다. 이럴 때 머리에 칩을 달아 컴퓨터에서 알고 싶은 것을 찾는 것처럼 키워드 검색으로 찾아 낸다면 얼마나 좋을까, 생각하곤 한다. 하지만 그럴 수 없으니 우리는 머릿속에서 내가 필요한 것을 찾는 연습을 해야만 한다. 글을 쓸 때 역시 어떤 소재들을 가지고 글을 쓸지, 주된 화제는 무엇으로 할지 머릿속을 뒤집고 헤쳐 찾아야 한다. 미리 이렇게 찾아보는 과정 없이 생각나는 대로 썼던 때를 기억해 보면 고쳤다 썼다를 반복하던 모습, 결국 무슨 말을 하려고 했는지 알 수 없어 포기했거나 대충 마무리

지으며 끝냈던 일들이 떠오를 것이다.

'환경을 보호하자'라는 주제로 글을 써야 한다면 일반적으로는 환경을 보호하자는 것에 대해 무엇을 써야 할지 먼저 머릿속으로 고민한 다음, 다른 과정 없이 쓰기에 들어간다. 하지만 그렇게 바로 글을 쓰다 보면 쓰고 있는 도중에 '맞다, 분리배출도 중요한데… 아니다! 자전거를 타고 다니라고 할까?' 등과 같이, 알고 있었지만 미처 생각하지 못했던 소재들이 떠오르기도 하고 갈팡질팡하게 된다.

환경을 보호하자.

아! 그래 지난번에 봤던 제주 거북이 비닐 때문에 방사된 지 얼마 되지 않아 익사했던 것을 쓰면서 환경을 보호하자고 말해야지.

(쓰는 도중)

근데 거북이 코에 빨대가 들어가는 사건도 있었지…. 그러니 분리배출을 잘해야 해. 근데 생각해 보니 우리만 잘한다고 될 문제가 아니라 분리수거를 해 가서 어찌 관리하는지도 중요한데… 우선 일회용품을 쓰지 않는 것이 먼저인가?

(계속 떠오르는 생각들)

뭘 쓰지, 뭘 써야 하지?

글을 쓰기 위해서는 주어진 글감에 관련되어 쓸거리들, 즉 소재와 화제를 찾는 연습을 해야 한다. 이때는 우리가 익히 알고 있고 편리한 브레인스토밍을 권해 본다.

브레인스토밍이란 정해진 주제를 중심으로 창의적으로 아이디어를 자유롭게 생각하여 끌어내는 활동을 말한다. 주제에 대해 생각나는 대로 써 보는 과정으로, 영어 뜻 그대로 머릿속에 폭풍을 일으켜 생각나는 것을 무조건 적어 본 뒤에 자신에게 필요한 것만을 간추리는 활동이다. 무조건 많이 써 보는 것이 좋다. 그렇게 하다 보면 생각을 쥐어짜낸다는 표현에 맞게 많은 것을 생각해 낼수록 좋은 아이디어들, 즉 창의적인 아이디어들이 나올 가능성이 크다. 자유연상기법이라고도 불리는 브레인스토밍은 아무런 제약 없이 떠오르는 대로 쓰는 것을 원칙으로 하며, 형

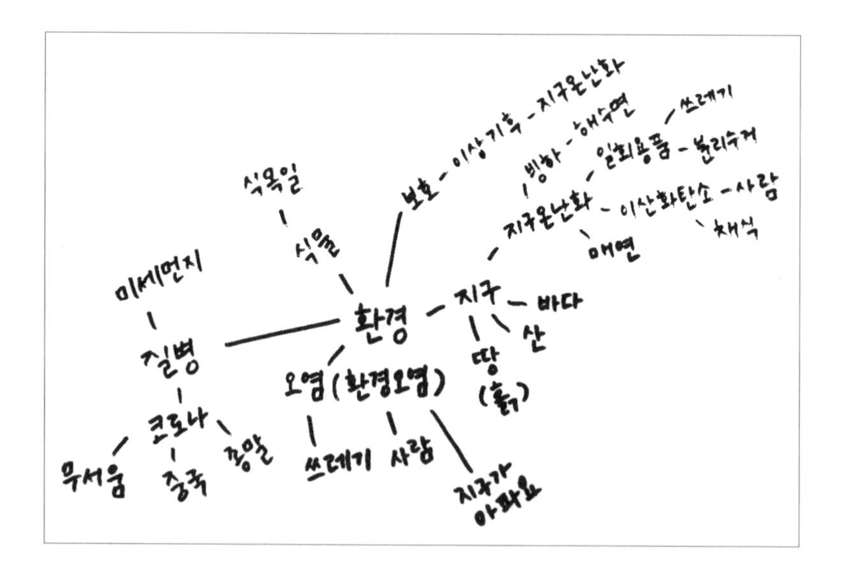

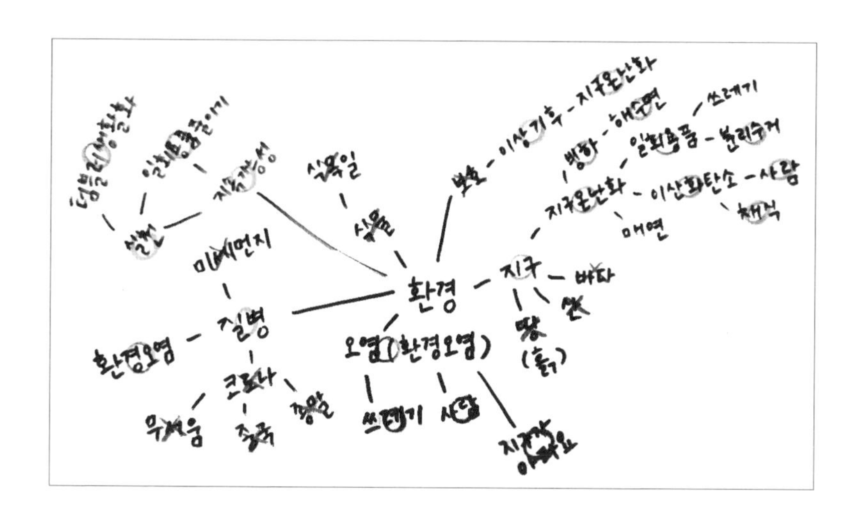

용사보다는 명사를 중심으로 떠올려 문장으로 쓰는 것이 생각을 더 잘 드러낼 수 있어 좋다.

이렇게 다양하게 나온 단어들을 보면서 어떻게 글을 써야 할지 막막함이 앞선다면 이때 한 가지 과정을 더하면 된다. 폭풍처럼 쏟아 낸 단어들을 분류하는 과정이다. 쓰고 싶은 것과 쓰지 못할 것으로 분류해도 좋고, 잘 아는 것과 잘 모르는 것으로 분류해도 좋다. 나름의 기준으로 글을 쓸 때 쓰고 싶은 아이디어와 버릴 아이디어들을 분류해 보자. 이렇게 분류하고 나면 단어들끼리 서로 연결되면서 쓸거리들이 생긴다.

브레인스토밍과 분류 과정을 통해 정리된 소재들은 굳이 다시 적을 필요는 없다. 분류 과정을 거치면서 이미 어떤 소재로 글을 쓸지 정해질 것이다. 운동하기 전에 하는 워밍업 과정으로 생각해도 좋고, 막막했던 마음을 가라앉히는 과정이라고 생각해도 좋다. 이때 쓸거리들을 가지고 써야 하는 글이 배경지식을 가지고 써야 하는 글이라면 주제와 관련되어 내가 아는 것과 모르는 것이 무엇인지 확인하고, 자료를 모으는 단계를 거쳐야 한다. 이 단계에서 아는 것이 너무 없다고 느낀다면 관련된 내용들에 대해 독서를 하거나 다양한 사람들과 이야기하면서 주제에 대한 지식을 갖추어야 글을 쓸 수 있다.

물론 주제에 대해 잘 알고, 또 무엇을 쓸지 명확하다면 이 과정은 생략해도 좋다. 머릿속에서는 이미 폭풍처럼 이런저런 생각들을 떠올리며 무엇을 소재로 하여 쓸지 고민할 것이기 때문이다.

3

★★★★★

주제 없음 vs 주제 있음

환경의 날이라는 글감이 정해지고, 브레인스토밍을 통해 어떤 소재를 가지고 글을 써야 한다는 것까지 정해졌다면 이제 주제를 정해야 한다. 주제를 정해 한 문장으로 써 봐야 어떤 글을 쓸지 명확해지고, 통일성 있는 글을 쓸 수 있다.

물론 환경의 날이라 글을 써 오라는 과제가 주어졌으니 글쓰기의 이유는 충분하다고 생각할 수 있다. 그러나 막상 연필을 들고 글을 쓰려고 하면 준비해 둔 소재들을 가지고서도 무슨 말을 해야 할지 고민에 빠지게 된다. 이 고민을 하는 시간이 바로 주제를 생각하는 시간이다.

글을 쓰기 전에 먼저 전체 글을 통해 어떤 메시지를 전달하고 싶은지 명확하게 정해야 한다. 몇 백 쪽이 되는 책도 쓰기 전에는 한 문장으로부터 출발한다. 말하고자 하는 바를 정확하게 한 문장으로 쓸 수 있다면, 자신이 하고자 하는 말을 정했다고 볼 수 있다. 물론 바로 한 문장으로 쓰기는 힘들다. 그렇다면 편하게 자신이 글을 통해 무엇을 말하고자 하는지 생각나는 대로 써 본 다음, 한 문장으로 정리하는 과정을 거치자. 국어 시간에 글을 읽은 후 주제를 찾아 한 문장 혹은 두 문장 이내로 정리했던 대로 하면 된다. 이때 역시 주제가 무엇일지 핵심 문장들을 찾아 밑줄을 긋고, 문장들이 공통적으로 의미하고 있는 바가 무엇인지 찾아가며 읽고 요약했을 것이다. 교과서에 나오는 많은 책들도 시작은 작가가 무슨 말을 하고 싶은지를 적은 한 문장이었다.

– 나라 상황은 신경 쓰지 않고 기회주의자로 사는 사람들의 삶을 고발하고 싶어. (전광용의 〈꺼삐딴 리〉)
– 좋은 사람을 만났던 기억을 써 보자. (피천득의 수필 〈인연〉)
– 왜 말은 내 맘대로 쓰면 안 되는 건지 알려 줘야지. (페터 빅셀의 〈책상은 책상이다〉)

그렇다면 이제 우리도 주제를 정해 보자.

환경의 날 글짓기를 해 오세요. → 환경을 보호해야 한다.

이런 경우 '환경을 보호해야 한다'라는 한 문장은 광범위하고 두루뭉술하게 느껴진다. 이런 광범위한 주제로 글을 바로 쓸 경우 자신이 무슨 이야기를 하려고 했는지 명확하지 않아, 쓰면서 생각이 자꾸 바뀌게 된다. 지구 온난화를 해결해야 한다고 쓰다가 가정집에서도 분리배출을 잘 해야 한다고 쓰는 식으로, 산만한 글이 될 가능성이 높다.

환경의 날 글짓기를 해 오세요. → 환경을 보호해야 한다고 써야겠다. → 환경 보호는 모두가 해야 하는 거니까 범위를 좁혀 우리가 할 수 있는 환경 보호에 대해 쓸까? → 환경 보호는 우리가 당장 실천할 수 있는 것부터 시작하자. (글을 쓰는 이유 : 환경을 보호하기 위해 바로 실천할 수 있는 방법을 찾아야 한다.)

이렇게 환경이라는 글의 소재와 주제가 정해지고 나면, 전하고자 하는 핵심을 담은 중심 문장을 글을 쓰는 동안 볼 수 있게 붙여 두고, 틈틈이 보면서 써야 한다. 전체 글을 쓰는 이유에 해당하는 중심 문장을 써 놓은 뒤에 글을 쓰면 글이 한 방향으로 향하게 되어, 통일성 있는 글을 쓸 수 있다.

주제 문장을 쓸 때 주의할 점은 주어와 서술어가 분명하게 보이는 완결된 문장으로 써야 한다는 것이다. 그래야 글을 쓰는 동안 그 명확한 의미를 바탕으로 전개할 수 있다. 또 평서문으로 간결하게 써야 하며, 비유적으로 쓰지 말아야 한다. 주제는 글을 쓰는 동안 내비게이션처럼 전체 글을 이끄는 안내 역할을 한다. 그런 주제문이 명확하지 않다면 글을 쓰는 도중 떠오르는 다양한 생각들 속에서 헤매게 될지도 모른다. 그러므로 자신의 생각을 구체적으로 드러내면서 완결된 문장으로 써야 한다.

글의 주제가 명확해지고 무엇을 재료로 쓸지 소재도 정해졌다면, 이번 과정은 어렵지 않을 것이다. 소제목처럼 글을 쓸 때는 ○○○을 필요하다. 이 ○○○을 말로 표현하면 '딴딴딴'이고 이것을 기억하면 된다. 어떤 글을 쓰더라도 글의 순서는 '처음–중간–끝'으로 정해진다. 긴 글이든 짧은 글이든 글을 쓸 때는 처음–중간–끝이 있다.

딴딴딴이란 개요 짜기를 친숙하게 여길 수 있도록 붙여 본 말이다. 글에 따라 '기승전결', '서론–본론–결론'과 같이 구성은 달라질 수 있지만, 개요를 짜는 것이 충분히 익숙해질 때까지는 구성 방식을 달리할 필요는 없다고 생각한다. 미리 개요를 짜 보는 것만으로도 글쓰기에 충분한 도움이 되며 탄탄한 계획이 될 수 있기 때문이다.

① 처음에 뭘 쓰지

② 중간에 뭘 쓰지

③ 마지막으로 뭘 쓰지

이렇게 3단계로 생각하면 된다. 이렇게 세 칸을 채우기만 하면 본격적으로 글을 쓰는 것이 수월해진다. 이렇게 '무엇을' 쓸지, '어떻게' 쓸지 고민하는 일이 개요 짜기이다.

개요 짜기는 보통 건축에서의 설계도에 비교할 수 있다. 설계도 없이 건축을 한다는 것은 상상할 수 없는 일이다. 또 설계도가 있다 해도 잘못된 부분이 있다면 완성된 건축물에도 문제가 발생할 것이다. 그러니 개요표를 짜는 과정은 쓰기에서 매우매우매우 중요한 과정이다. 만약 2시간, 120분 정도의 글쓰는 시간이 주어진다면 반 이상을 할애해도 좋다고 말할 만큼 중요하다. 탄탄한 개요표가 완성도 높은 글을 탄생시키며, 글을 쓸 때 고민 없이 일사천리로 쓸 수 있도록 해 줄 것이기 때문이다.

〈개요표 1〉

처음	
중간	
끝	

〈개요표 2〉

처음	소주제	
	뒷받침 문장	
중간	소주제	
	뒷받침 문장	
끝	소주제	
	뒷받침 문장	

개요표 1은 보통 개요표를 스케치하듯 작성할 때 사용한다. 커다랗게 어떤 내용을 쓸지 적어 보는 것이다. 처음 개요표를 써 본다면 편하게 사용할 수 있다. 개요표 2는 꼼꼼하게 작성하는 경우인데, 이때는 문장까지 작성해 두었기 때문에 글을 쓸 때 수월하게 쓸 수 있다. 다만 개요표 작성 뒤에는 꼼꼼하게 구성에 문제가 없는지, 문장은 적절한지 살펴보아야 한다. 개요표 2를 쓰면 그만큼 글을 쓰기 전에 세심하게 준비하는 것이므로 본격적으로 쓰기 시작할 때 그만큼 쓰기가 쉬워졌다는 것을 느낄 것이다. 완벽한 설계도가 꿈의 건축물을 탄생시킨다는 것을 기억하자.

〈학생 개요표 사례〉

처음	환경을 보호해야 한다.
중간	일회용품 말고 다회용품을 써야 한다. 환경을 보호할수있는 용품들을 찾아보자.
끝	소비자와 생산자가 함께 노력해야 한다.

처음	소주제	환경을 보호해야 한다.
	뒷받침 문장	우리아파트 그것도 우리 동에서만 나오는 재활용품 분리 배출 쓰레기 양이 지나치게 많다. 머지 않아 쓰레기로 온 지구가 덮일 것이다.
중간	소주제	1. 일회용품 말고 다회용품을 써야 한다. 2. 환경을 보호할 수 있는 용품을 찾아 보자.
	뒷받침 문장	1-1. 만약 일회용품이라고 하더라도 최대한 다시 쓸수 있는 방법을 생각해 다회용품처럼 사용하자. 2-1. 플라스틱 보다는 대나무로 만든 칫솔을 쓰는것 처럼 가능한한 자연친화적인 용품을 찾아쓰자.
끝	소주제	소비자와 생산자가 함께 노력해야 한다.
	뒷받침 문장	환경은 소비자만의 문제가 아니다. 생산자도 함께 과대포장을 하지 않거나 친환경적인 제품을 만들기 위해 노력해야 한다.

|글쓰기 톡! Talk?|

육하원칙 : 글쓰기의 필수 아이템

개인적으로 육하원칙으로 글쓰기를 좋아한다. 물론 주제에 따라 육하원칙으로만 쓸 수 없는 글들도 있지만 체험학습 보고서나 자신이 겪은 일을 바탕으로 쓰는 글, 독후감 등도 유용하게 활용할 수 있으며, 말하기에도 도움이 된다.

〈육하원칙 글쓰기의 절차〉

1) 육하원칙에 맞춰 내용을 정리한다.

2) 정리된 내용 중 보충하여 설명이 필요하거나 자료가 필요한 부분을 찾는다.

3) 설명 내용과 자료를 참고하여 정리한다.

4) 순서에 따라 준비한 설명 내용과 자료를 덧붙여 줄글을 완성한다.

5) 퇴고한다.

누가	나
언제	7월 31일
어디서	학교에서
무엇을	방학 특강 글쓰기를
어떻게	직접 글을 써 보면서
왜	평소에 글을 잘 쓰고 싶어서

육하원칙을 사용하기 위해 표로 정리한 후 보충하여 설명할 부분을 찾거나 자료가 필요한 부분을 찾아 내용을 보충해 주면 된다. 일반적으로 '어떻게'나 '왜' 부분의 설명이 필요한 경우가 많다.

나는 7월 31일에 학교에서 방학 특강으로 글쓰기를 배웠다. 평소에 글을 잘 쓰고 싶었기 때문이다.

육하원칙의 내용을 틀을 빼고 죽 이어 써 놓기만 해도 글이 되었다. 이 상태에서 읽는 사람이 궁금할 부분을 찾아 살을 붙여 본다.

7월 31일에 학교에서 진행하는 여름 방학 특강을 들었다.
독후감 쓰기에 대해 배우는 글쓰기 수업이었다. 미리 《동물농장》을
읽어 오라는 선생님의 말씀을 들었기 때문에 수업을 따라가기가 어렵
지는 않았다. 독후감을 쓰기 위해서 독서 방법이 달라야 한다는
것을 처음 알게 되어 신기했다. 직접 글을 써 보는 시간을
가질 수 있어 뿌듯한 시간이었다. 평소에 글을 잘 쓰고 싶다는
생각을 많이 했었는데 이렇게 배우고 나니 독후감 쓰기에
자신감이 생겼다.

처음 줄글에 설명이 필요한 부분을 찾아 덧붙여 본 글이다.

육하원칙의 최대 장점은 글을 쓸 때 무엇을, 어떻게 써야 하는지에 대해 고민을 많이 하지 않아도 된다는 점이다. 읽는 사람도 더 이해하기 쉽다. 만약 이 글의 뒷부분쯤에 자신의 느낌이나 생각 등을 자세하게 덧붙여 쓴다면 밀도 높은 한 편의 글을 완성할 수 있을 것이다.

누가	
언제	
어디서	
무엇을	
어떻게	
왜	
한 줄 정리	
필요한 부분에 설명 붙이기	
느낌이나 생각 덧붙이기	

필사는 글쓰기 실력을 향상시켜 주는 연습 방법으로

많은 작가들이 추천한다.

필사는 개인 트레이너를 두는 것과 같다.

4부

문장이 작품이 되는 순간, 나도 이제 작가 클래스?

1

★★★★★

주제 : 글에는 하나의 주제가 필요하다

학생들의 글을 읽다 보면 말하고자 하는 바를 선뜻 찾을 수 없어 몇 번씩 다시 읽게 되는 경우가 있다. 다양한 이유 중 가장 흔한 것이 글쓰기의 중요한 약속인 1:1의 비밀을 지키지 않은 경우다. 글을 쓸 때에는 말할 때처럼 다양한 화제를 넘나들며 즉흥적으로 생각나는 이야기를 불쑥불쑥 하면 곤란하다. 대화를 할 때는 그때그때 생각나는 말을 해도 서로 마주 보며 소통할 수 있기 때문에, 불편함 없이 화제가 빠르게 전환되었다가 다시 원래의 주제로 돌아오기도 한다. 그렇지 않다 해도 궁금한 내용을 다시 되묻거나 시간을 들여 충분히 이해할 수도 있다. 그러나 글은 그럴 수 없다. 하나의 글엔 하나의 주제가 있어야 하고, 한 단락에도 하나의 소주제(중심 문장)가 있어야 한다. 이것이 일명 1:1의 비밀이다. 글뿐만 아니라 말을 할 때도 이 법칙을 아는 사람이 주제가 분명하므로 대화하기에 좋다. 특히 여러 사람 앞에서 말을 하는 경우라면 필수적인 조건이다.

새 학기가 시작되는 날이라 나는 아침부터 들떠 있었다. 그런 탓에 챙겨야 할 준비물을 챙겨가지 않았다. 학교에 도착하니 새 교실에, 새 선생님에, 새 친구들이 있어서 기분이 더욱 좋았다. 그러나 학원 숙제가 많아 마음이 불편해지기 시작했다. 숙제를 안 한 게 걱정이 되기 시작한 것이다. 그러고 보니 낼은 친구 시현이의 생일이라는 생각이 들었다. 선물 사러 언제 가지. 오늘 점심은 누구랑 먹어야 할지 둘러보니 한나가 보였다.

만약 이런 글을 읽는다면 우리는 고개를 갸우뚱할 수밖에 없다. 글을 쓰려는 사람이 무슨 이야기를 하는지 파악하기가 힘들기 때문이다. 앞 두 문장을 읽었을 때는 새 학기인데 준비물을 안 가져가서 곤란하다는 이야기인가? 하고 생각하며 읽었는데 갑자기 새로운 환경이 좋다는 이야기가 나오고, 또 학원 숙제에 대한 걱정이 이어진다. 거기에 친구 생일 얘기까지 나오니, 무슨 말을 하려고 하는지 알 수가 없다. 이 글을 쓴 사람이 앞에 있다면 도대체 무슨 말이 하고 싶은지 묻고 싶을 정도이다.

이것은 글을 쓰기 전에 무엇을, 어떻게 써야 할지 충분히 생각하지 못한 탓이다. 앞서 글쓰기 순서를 생각한다면 '무엇을' 쓸지 정한 후 '어떻게' 써야 할지를 정해야 하는데, 글을 쓴 친구는 '무엇을' 쓸지 부분에서 '새 학기가 시작된 날의 이야기를 써야겠다'라고 생각한 후 생각나는 대로, 즉 자신의 머릿속에서 떠오르는 사건들을 다 써 버린 것이다.

새 학기가 시작된 날의 이야기를 쓰자. 음… 그런데 새 학기가 시작되어서 좋다는 이야기를 쓸까? 새 교실에, 새 선생님, 새 친구들 그날 너무 좋았는데… 맞다! 준비물 안 가져가서 혼난 이야기를 써야겠다. 근데 그날 생각해 보니 학원 숙제가 많아 마음이 불편했는데. 시현이 생일과 한나와의 점심 먹은 이야기도 재미있었는데….

이렇게 생각이 떠오를 때 앞서 연습했던 부분들을 떠올려 보자.

새 학기가 시작된 날의 이야기를 쓰자. 음… 그런데 새 학기가 시작돼서 좋다는 이야기를 쓸까? 새 교실에, 새 선생님, 새 친구들 그날 너무 좋았는데… 맞다! 준비물 안 가져가서 혼난 이야기를 써야겠다. 근데 그날 생각해 보니 학원 숙제가 많아 마음이 불편했는데. *(글감 꺼내기)*

하지만 선생님이 하나의 글에는 하나의 주제가 있어야 한다고 하

셨으니까 먼저 내가 말하고자 하는 것을 한 문장으로 써 볼까? (주제 정하기)

학기가 시작하는 첫날부터 혼났으니까 다음부터 혼나지 않도록 나의 경험을 친구들에게도 이야기해 주는 게 좋겠다. (글을 쓰는 목적)

그렇다면 새 학기엔 메모를 해서 준비물을 잊는 습관을 고치자는 주제로 써야겠다.

이렇게 새 학기에 대한 이야기를 써야겠다는 생각을 한 뒤에는 새 학기에 대한 이야기 중 어떤 이야기들을 쓸지 떠올려 보고, 자신이 이런 이야기를 하는 이유를 생각해서 주제를 정해야 한다. 그렇게 주제가 정해졌다면 하나의 주제가 잘 드러날 수 있게 한 방향으로 글을 써 나가면 된다.

새 학기가 시작되는 날 너무 들떠있던 나는 준비물 가져가는 것을 잊었다.
그런데 하필이면 깐깐하시기로 유명한 해리 선생님이 담임 선생님이 되셨다.
그날 선생님은 1년간 학급에서 지켜야 하는 것들에 대해 이야기 하시며
공부를 못하는 건 괜찮지만 정신을 차리지 않는 모습을 두고 볼 수 없다며
첫날부터 준비물 안 가져온 사람들은 한 달동안 주번이라고 하셨다.
주번을 맡게 된 나는 이제부터 메모를 잘해서 전날 학교에 갈 준비물을
미리 잘 챙겨야겠다고 결심했다.

중심 문장을 써 놓고 글을 쓰면 쓰기도 편하고 읽는 사람에게도 의미 전달이 쉬운 글이 된다. 전달하려는 주제에 대해 자연스럽게 독자들의 집중도도 높아질 수 있다. 글을 쓰기 전에 독자들에게 어떤 이야기를 할지만 생각해도 충분히 1:1의 비밀을 지킬 수 있다.

한 단락으로 된 글이 아니라면 소주제들은 모두 전체의 주제를 향해야 한다는 것을 잊어서는 안 된다. 전체의 주제 아래 소주제들이 있으며, 이 소주제들은 전체의 주제를 탄탄하게 뒷받침해 주기 위해 필요하다.

전체 주제 : 환경을 보호하기 위해서는 구체적인 실천이 필요하다.

소주제 1. 말로만 환경을 보호하고 있다.

소주제 2. 환경을 보호하기 위해서는 공부가 필요하다.

소주제 3. 지금 할 수 있는 환경 보호 방법을 실천하자.

전체 주제와 소주제문 3개를 잡아 보았다. 전체 주제를 어떻게 펼쳐 나갈지 한눈에 볼 수 있고, 하나의 주제를 향하고 있는 것이 보인다. 개요를 잘 짜면 이렇게 소주제들이 자연스럽게 어우러질 수 있다.

소주제 1. 말로만 환경을 보호하고 있다.

소주제문을 뒷받침하는 문장 1. 환경을 보호하기 위해 텀블러를

써야 한다고 하지만 유행하는 텀블러들을 몇 개씩 갖고 있거나 에코백을 사용하자고 하면서 깔별로 갖고 있기도 한다.

소주제문을 뒷받침하는 문장 2. 환경을 보호하기 위해서 일회용품을 쓰지 말자고 하면서 일회용품들을 자꾸 생산하도록 하는 소비를 하는 것은 모순적인 행동이다.

소주제문을 뒷받침하는 문장 3. 감정적으로 하는 환경 보호는 의미가 없다.

소주제문의 결론 : 더 늦지 않게 제대로 환경을 보호할 수 있는 실천적인 방법을 찾아야 한다.

소주제들을 엮어서 단락을 구성할 때는 문장 사이에 연결이 잘 되어야 한다. 국어 시간에 배웠겠지만 통일성, 완결성, 일관성이 있는 단락을 만들어야 한다.

① 통일성

여러 개의 문장으로 이루어져 있지만 소주제에 집중되어야 하며 주제를 벗어나서는 안 된다.

ㄱ. 도서관의 책은 깨끗이 읽어야 한다. 도서관에 있는 책은 많은 사람들이 대출을 통해 읽는 책이다.

ㄴ. 개인 소장 책과는 다르다. 물론 독서를 할 때 밑줄을 긋거나, 포스트잇을 붙이는 습관을 들이는 것은 좋다.

ㄷ. 도서관의 책들이 지저분하게 되면 복구 비용이 들거나, 다시 구매해야 한다.

ㄴ 부분은 주제를 뒷받침하지 못하고 있다. 주제와 호응을 이루지 못하는 것이다. 단락의 통일성을 방해하는 문장이다.

② 완결성

소주제문에서 이야기한 것은 뒷받침 문장에서 충분히 설명되어야 한다.

나의 취미 생활을 말하자면 독서, 산책, 청소이다. 취미 생활이란 말 그대로 여가 시간에 무엇을 하느냐이다. 취미 생활이 없는 사람은 인생의 즐거움을 누리지 못하는 사람이다. 함께 취미 생활을 할 친구를 만드는 것이 즐겁게 사는 방법 중에 하나다.

얼핏 보면 잘 쓴 글 같지만 첫 문장에서 언급한 독서, 산책, 청소에 대한 이야기가 없다. 즉 주제를 충분히 설명하지 않은 글이다. 제대로 쓰기 위해서는 순서대로 독서, 산책, 청소에 대한 이야기를 풀어내 써야 한다.

③ 일관성

일관성이라고 말하면 통일성과 같은 느낌이 들 수도 있겠다. 긴밀성이라고 부르는 것이 이해하기 쉬울 듯하다. 문장 간에 자연스럽게 연결성을 가져야 한다는 말이다.

함께 취미 생활을 할 친구를 만들도록 하는 것이 즐겁게 사는 방법 중 하나다. 취미 생활이 없는 사람은 인생의 즐거움을 누리지 못하는 사람이다. 나의 취미 생활은 독서, 산책, 청소이다. 취미 생활이란 말 그대로 여가 시간에 무엇을 하느냐이다.

위의 글에서는 문장이 자연스럽게 연결되지 않아 독해가 어렵다. 문장과 문장을 연결할 때 접속어나 지시어 등을 사용하여 긴밀성을 높이도록 해야 한다.

2

★★★★★

친절함 : 문장이 친절함을 만났을 때

글을 잘 쓰려면 구양수가 말했다는 다독, 다작, 다상량이 필요하다고 말한다. 글을 쓰기 위해 누구나 한 번쯤 생각해 보았을 것이다. 나의 경우는 이 중에서 다상량이 힘들다. 다상량의 방법을 어찌해야 하는지 알 수 없기 때문이다. 그리고 그게 노력한다고 되는 일인지도 모르겠다.

구양수의 다독, 다작, 다상량에 관해서 한 번쯤 들어 보았다면 이 문장들이 전혀 어렵지 않을 수도 있다. 그러나 독자가 이 내용을 모른다면 읽으면서도 이해하지 못할 것이고, 어쩌면 읽기를 중도에 포기할지도 모른다.

글은 친절하게 써야 한다. 읽는 사람을 배려해야 하기 때문이다. 글을 쓰면서 자기가 쓰는 내용이 누구나 이해할 수 있는 상식이라 생각하는 것은 친절하지 못한 태도이다. 읽는 대상을 고려해서 충분히 배려한 글을 쓸 수 있어야 한다.

신문 기사를 쓸 때 중학생이 읽을 수 있도록 쓰라는 말이 있다. 어려운 말은 풀어 쓰고, 자신이 하고자 하는 말을 충분히 이해시킬 수 있도록 예를 들어 설명하는 등의 배려가 필요하다는 의미일 것이다.

글을 잘 쓰려면 구양수가 말했다는 다독, 다작, 다상량이 필요하다고 말한다. 다독은 많이 읽는 것을 말하며, 다작은 많이 쓰는 것, 다상량은 생각을 많이 하는 것을 말한다. 그리고 많은 경우 글을 쓰기 위해 이런 방법에 한 번쯤 도전해 봤을 것이다. 나의 경우 이 중 다상량이 힘들다. 많이 생각하라는 것을 어찌 이해해야 하는지 모르겠기 때문이다.

어떤가? 익히 알고 있을 거라고 생각하지만 가볍게라도 설명을 넣어 주고 글을 써 내려 가면 누가 읽어도 읽기 편한 글이 된다. 비문학 독해를 할 때 글쓴이를 믿으라는 말을 한다. 좋은 글이라면 글쓴이가 독자의 이해를 위해 어려운 단어는 풀이해 주거나 이해를 시키기 위해 만약 모르는 단어나 문장이 나오더라도 독자가 당황하지 않도록, 예를 들거나 부가 설명을 해 주는 등 다양한 방식으로 장치를 해 두기 때문이다. 앞서 보여 준 것처럼 배려 없이 하고 싶은 말을 하지 않는다. 글을 쓰는 사람은 대부분 독자들이 자신의 글을 읽고, 이해하고, 도움을 받기를 원한다. 구양수가 다독을 권한 것도 그런 이유에서였는지도 모른다. 잘 쓴 글을 읽다 보면 글을 어떻게 써야 할지 방법을 배울 수 있다.

> 문장력을 향상시키기 위한 필사는 다른 방법으로 접근해야 한다. 명문을 선정해야 하고, 장점을 분석해야 하고, 내 글로 전환해서 쓸 수 있어야 하기에 '좁은 범위(다섯 줄 내외)'와 '명확한 장점'이 필사의 필수조건이라 할 수 있다. 문장력 향상을 위한 필사 연습에서 명문은 닮고 싶은 선망의 대상이자 우리의 낡은 습관을 보게 하는 대형 거울이다. 빼고 더할 것 없는 명문장을 필사하다 보면 오랜 습관을 객관적으로 보게 된다. 줄 치며 공부하지 않아도 자연스레 내 문장의 약점, 명문의 장점을 인식할 수 있다. 명문장에 이르려면 어떤 습관을 고쳐야 하는지 깨닫는다. 바로 필사 최고의 소득 중 하나다.[9]

이처럼 필사를 통해 친절하게 글쓰기를 배울 수도 있다. 자연스럽게

---

9 김민영 외, 《필사 문장력 특강》, 북바이북, 2018, 15쪽.

문장과 문장을 이어 나가고, 어떤 경우엔 예를 들어 설명하고, 어떤 경우에 간결하게 표현하였는지를 배울 수 있다. 나는 학생들과 글쓰기 수업을 할 때 좋은 문장을 한 번 그대로 베껴 쓰게 하고, 그다음으로 문장의 형식을 살려 써 보도록 한다. 문장을 제대로 익힐 수 있는 기회가 되기 때문이다.

〈필사하고 친절하게 다시 써 보기〉

질문은 문제를 인식하거나 발견, 또는 자각해 의식적으로 해결하려는 기회를 제공한다. 따라서 질문은 사고의 출발점이라고 할 수 있다. 그러나 질문하기 위해서는 현재의 질문을 명확히 자각해야 할 뿐 아니라 새롭게 문제를 발견하는 능력도 필요하다. 즉 무엇을 어느 시점에 어떻게 질문할지 등을 결정하는 능력이 요구된다. 일반적으로 질문 유형에 관해서는 다음 7가지가 전해진다.

1. 상식을 묻는다.
2. 애매함을 묻는다.
3. 근거를 묻는다.
4. 모순을 묻는다.
5. 경험을 묻는다.
6. 가정을 묻는다.

7. 이론을 묻는다.[10]

질문의 중요성과 유형을 알려 주기 위해 발췌한 문장들 중 일부분이다. 학생들은 필사 후에 질문을 어떻게 해야 하는지에 대한 지식과 친절한 글쓰기에 대해 배웠다고 말한다. 이 글은 질문에 대한 내용을 쉽게 설명하고 있다. 잠시 펜을 들고 문장을 따라 쓰면서 대화하는 기분을 느껴 보자. 작가가 나에게 알려주고 싶어 하는 것들이 잘 이해되는지, 읽으면서 궁금증은 없는지 등을 생각해 보자. 그리고 나라면 어떻게 친절하게 이 글을 고쳐 쓸지 문장을 활용하여 다시 써 보는 것도 좋다. 친절하게 쓰는 법을 배울 수 있고, 독해력도 향상될 것이다.

질문은 생각의 출발점이다. 문제를 해결하기 위해서 인식하거나 발견,
또는 지각해 의식적으로 해결을 위한 노력을 시작하기 때문이다.
그러나 질문을 잘하기 위해서는 현재 주어진 문제를 명확히
자각해야 하고, 새롭게 문제를 발견하는 능력도 필요하다. 즉 질문을
해야 하는 대상을 아는 시점부터 어떻게 질문할지 등을 결정하는 능력이
필요하다.

10 기무라 다카시, 다카하시 게이지, 《문제가 술술 풀리는 질문기술》, 영진닷컴, 2003, 19쪽.

'필사하고 친절하게 다시 써 보기'를 하면서 자주 받는 질문 중 하나가 원본과 다르게 의미가 전달되면 어찌하느냐는 것이다. 괜찮다. 우리의 목적은 다른 사람의 글을 필사해서 책을 내려는 게 아니기 때문이다. 우리는 글을 천천히 읽고 필사를 한 후 자신이 이해한 것을 자신의 문체로 다시 써 보는 연습을 하는 것뿐이다. 다시 쓴 글이 작가가 의미하는 것을 잘 전달할 수 있는 것이라면 더할 나위 없이 좋겠지만, 그렇지 않더라도 반복되는 연습을 통해 어느 사이엔가 문장력이 향상되었다는 것을 알게 된다.

3
★★★★★

구체화 : 문장이 살아있음을 느끼는 순간

글로 내가 생각하는 모든 것을 표현할 수 있다면 얼마나 좋을까 하는 바람을 가져 본 적이 있다. 작가가 되고 싶던 초기 시절, 매우 간절했던 소망이다. 그러나 글을 쓰면서 재능이 없다는 생각을 자주 했고, 그럴수록 쓰는 일은 하지 않고 열심히 읽기만 했다. 읽으면 읽을수록 더 쓰지 못할 것 같았다. 감탄이 나오는 문장들, 상상해 본 적 없는 창의적인 발상들. 감히 내가 할 수 없는 일이라 생각했다.

그러다 글쓰기의 목표를 바꾸었다. 멋진 글, 감탄이 나오는 글을 쓰는 것이 아니라 내가 하고 싶은 이야기를 쓰자는 생각을 했다. 그런 생각을 하니 쓰기가 훨씬 수월해졌다. 두서없이 하고 싶은 말을 써 놓고 몽땅 지우고 새로 쓴 날도 많았지만 그래도 쓰는 것이 좋았다. 간단히 줄여 말하면 좋은 글이 무엇인지, 글을 잘 쓴다는 건 어떤 것인지 고민하다가, 쓰는 사람이 아니라 읽는 사람의 입장에서 글을 써야 한다는 생각을 하게 된 것이다. 너무나 자명한 이 이치를 왜 미처 생각하지 못했는지 모르겠지만 그리하여 누구나 쉽게 이해하는 글을 써야 한다고 생각하게 되었다. 누군가 나의 글을 읽고 되묻지 않아야 한다. 읽는 것만으로도 충분히 이해할 수 있어야 한다. 그러기 위해서는 글을 쓸 때 최대한 읽는 사람을 고려해 친절하게 쓰려는 노력과 함께 표현도 구체적이어야 한다고 생각했다.

> 30초 안에 소설을 잘 쓰는 법을 가르쳐드리죠. 봄에 대해서 쓰고 싶다면, 이번 봄에 어떤 생각을 했는지 쓰지 말고, 무엇을 보고 듣고 맛보고 느꼈는지를 쓰세요. 사랑에 대해서 어떻게 생각하는지 쓰지 마시고, 연인과 함께 걸었던 길, 먹었던 음식, 봤던 영화에 대해서 아주 세세하게 쓰세요. 다시 한번 더 걷고, 먹고, 보는 것처럼, 우리의 마음은 언어로는 직접 전달되지 않는다는 것을 기억하세요. 우리가 언어로 전달할 수 있는 건 오직 감각적인 것들 뿐이에요.[11]

11 김연수, 《소설가의 일》, 문학동네, 2014, 217~218쪽.

구체적으로 표현하기가 왜 중요하고, 필요한지 알려 주기 위해 자주 인용하는 문장이다. 그러나 학생들은 이해는 하지만 어떻게 써야 할지 모르겠다고 한다. '우울해'라고 말한다고 해도 사람들은 얼마나 우울한지, 왜 우울한지 알 수 없고, 공감을 할 수 없다. 추상적으로 이해하려고 노력할 뿐이다.

우울해. 중간고사는 100등이나 성적이 떨어지고, 시험 기간에 공부한다고 야식을 먹었더니 살은 3킬로그램이나 찌고, 얼굴에 여드름은 나고…. 고3의 시간은 자고 나면 지나가 버리고 없었음 좋겠어.

말줄임표를 쓴 이유는 이 정도만 써도 이 친구의 우울함에 깊이깊이 공감되기 때문이다. 그냥 우울하다는 말보다는 구체적으로 무엇 때문에, 또는 어떻게 우울한지 표현해야 한다. 그러나 이렇게 자세하게 구체적으로 표현하기 위해서는 관찰력이 좋아야 한다. 관찰을 하다 보면 미처 생각하지 못한 부분을 발견할 수 있다. 같은 음식을 먹어도 그냥 맛있었다고 말하는 사람도 있지만 오징어의 쫀득쫀득한 식감과 파와 마늘의 조합이 맛있었다고 구체적으로 표현하는 사람이 있다. 어느 쪽이 더 맛있다는 느낌을 받을지는 물어보지 않아도 같은 대답일 것이다.

관찰력을 갖추었다면 이제 자신이 쓰려는 내용을 어떻게 구체적으로 표현할지 고민해야 한다. '우울해'라는 말로 마음을 전달하기 힘들다는 것을 알았으니 왜 우울한지 구체적으로 세세하게 쓰기 위해 무엇을 보고, 듣고, 맛보고 느꼈는지 정리한 후 써야 한다.

친구에게 학원 프린트물을 주기 위해 집 앞에서 만났다.

→ 어제 저녁 6시쯤 집 앞 놀이터에서 학원에 오지 않는 친구에게 프린트물을 주기 위해 친구를 만났다.

오늘 저녁이 맛있었다.

→ 지친 여름에 보양식을 먹으며 버티라는 선조들의 지혜가 담긴 오늘은 중복 날이다. 저녁으로 보양식의 대명사인 삼계탕을 먹었다. 뽀얀 국물과 찰밥을 함께 먹으니 기운도 나는 것 같고 든든하고 맛있었다.

책을 읽었다.

→ 시험이라고 미뤄 두었던 조지 오웰의 《1984》를 읽으며 엄청난 충격을 받았다. 어떻게 이런 상상으로 그 시대에 글을 썼을까.

구체적으로 표현하는 것이 처음에 어렵다면 위와 같이 간결한 문장을 쓴 후 덧붙여서 구체적으로 표현하기를 연습하는 것도 도움이 된다.

나는 말하기를 좋아한다.

→ "너는 물에 빠져도 입이 동동 뜰 거야. 이유는 알지?"

그렇다. 나는 말하는 것을 좋아한다. 아침에 일어나기 싫다가도 친구와 할 말이 생각나 등교할 때도 있었다. 또 친구들을 매일같이 보지 못하는 방학이 싫기도 했다. 말하기를 좋아하는 나는 그래서 뭔가를 보고, 알게 되면 마음이 설렌다. 친구들과 가족들에게 이야기를 할 생각으로 기대가 되기 때문이다.

그냥 간결하게 쓸 때보다 구체적으로 표현했을 때 더 잘 이해된다는 것이 느껴지는가? '나는 말하기를 좋아한다'라는 문장만 읽었을 때는 '어떤 식의 말하기지?', '어떤 내용으로 말하는 것을 좋아할까?', '말하기를 좋아하는 이유는 무엇일까?' 등 많은 질문이 떠오른다. 하지만 구체적으로 표현하면 이런 식으로 독자가 혼자 고민하지 않게 된다.

글을 읽는 행위는 작가와 독자가 서로 대화를 나누는 행위라고 한다. 이럴 때를 두고 하는 말이다. 글을 쓰는 사람은 독자에게 자세하게 이야기해 주듯 써야 한다. 그래야 독자가 작가와 대화를 나누고 있는 느낌으로 글을 읽을 수 있다.

애플의 창업자 스티스 잡스는 아이패드 출시 발표회에서 이렇게 말한 적이 있습니다. "아이패드를 켜면 샌프란시스코에서 도쿄까지 가는 비행 시간 내내 영화를 볼 수 있습니다." 배터리 용량이 충분하다는 것을 알리기 위한 표현이었는데요. 이 말만으로 태평양 상공을 날며 비행기 안에서 아이패드로 영화를 보는 장면이 자연스럽게 그려지지요. "한 번 충전하면 9시간 동안 쓸 수 있습니다"라고만 말했다면 어땠을까요? 정확한 표현이긴 해도 청중의 흥미를 끌기는 어려울 것입니다. '9시간'이라는 보이지 않는 개념이 '샌프란시스코에서 도쿄까지의 비행'이라는 뚜렷한 장면으로 전환되면서 표현력이 높아졌습니다.[12]

추상적인 시간의 개념을 확실하게 보이는 것으로 바꾸어 표현한 좋은 예다. 구체적으로 표현한다는 것은 이렇게 글을 읽거나 말을 듣는 사람이 확실하게 머릿속으로 그릴 수 있도록 하는 것이다.

구체적으로 표현하기, 혹은 표현하기를 배우기 위해서는 표현력이 좋다고 생각하는 글을 찾아 문장의 형식을 살려 다르게 표현해 보자. 글쓰기만이 아니라 말하기도 달라졌음을 느낄 것이다.

〈문장의 형식을 살려 다르게 써 보기〉

초록색일 때 수확해서 혼자 익은 귤, 그리고 나무와 햇볕에서 끝까지 영양분을 받은 귤, 이미 가지를 잘린 후 제한된 양분만 가

12 이강룡, 《글쓰기 기본기》, 창비, 2016, 20~21쪽.

지고 덩치를 키우고 맛을 채우며 자라는 열매들이 있다. 나는, 그리고 너희는 어느 쪽에 가까울까.[13]

길거리에서 버려진 채 혼자 자란 길냥이, 그리고 집에서 보호받으면서 집사를 두고 자란 집냥이. 계획을 통해 태어나 제한된 장소에서 이쁜 모습을 갖춘 펫숍 고양이들이 있다. 나는, 그리고 너희들은 어느쪽이 더 키우고 싶을까

13 조남주, 《귤의 맛》, 문학동네, 2020, 161쪽.

4

★★★★★

관점 : 나의 생각을 확장시키는 힘

우리는 누구나 읽고 이해할 수 있는 글을 좋은 글이라고 정했다. 그러나 아직도 쉽지 않다. 좋은 글을 쓸 때는 글을 쓰는 '방식'과 '내용'을 두루 갖춰야 하기 때문이다. 둘 중 하나를 고르자면 나는 내용이 좀 더 중요하다는 생각이다. 글을 쓸 만큼 내용이 충분히 차고 넘친다면 방식은 자연스럽게 정해질 것이기 때문이다.

글을 쓰기 위한 내용은 읽는 사람을 이해시키고, 설득할 수 있으면서도 가치가 담겨 있어야 한다. 여기에 새로운 관점과 탄탄한 근거도 있어야 한다. 이런 탄탄한 근거를 마련하기 위해서는 앞서 말한 구양수의 전략 중 '다상량', 즉 많이 생각하는 것이 필요하다. 글감과 주제, 그리고 자신이 말하고자 하는 바는 물론, 읽는 독자의 입장에 대해서까지 많이 생각해야만 잘 쓸 수 있다.

지금 당장 어린 시절의 꿈에 대해 쓰라고 하면, 우리는 잠시 어린 시절로 돌아가 자신의 꿈이 무엇이었는지 생각해 보고 쓸 것이다.

나의 어린 시절의 꿈은 작가가 되는 것이었다. 우연히 옆집에 가서 읽게 된 《메리 포핀스》와 《빨강머리 앤》을 읽으며 작가가 되고 싶었다. 그러나 지금 와서 생각해 보니 작가는 글을 잘 쓰는 사람이어야 하는데 나는 글을 잘 쓰는 사람은 아니라는 생각이 든다. 하지만 어린 시절의 꿈이 작가였기 때문인지 책 읽는 것을 좋아하고 가끔은 어른이 되어서 소설가나 동화 작가는 아니더라도 작가가 될 수도 있지 않을까 하는 생각을 해 본다.

만약 이런 글을 읽는다면 그래, 어릴 때는 작가가 되고 싶다는 생각을 많이 하지, 나도 이런 생각을 했었지, 정도의 감상으로 읽기가 끝날 것이다. 읽는 사람에게 새로운 의미나 가치를 전달할 수 없다. 쓰는 사람 역시 글을 통해 전달하고자 하는 바가 명확하지 않으니 더 이상 뭘 써야 하는지 모른다.

'어린 시절의 나의 꿈'이라는 주제로 글을 쓰세요.

나는 어린 시절에 작가가 되고 싶었는데 → 현실적으로 글을 쓰지 못하는 나를 보니 잊힌 꿈이 되었네 → 하지만 그 꿈으로 책을 많이 읽기는 했지 → 진로에 대해 진지하게 고민해 본 적이 없네 → 지금이라도 찾아봐야 하지 않을까 → 어린 시절 잊힌 꿈을 기억하면서 다시 나의 진로에 대해 생각해 봐야겠다.

나의 어린 시절의 꿈은 작가가 되는 것이었다. 우연히 옆집에 가서 읽게 된 《메리 포핀스》와 《빨강머리 앤》을 읽으며 작가가 되고 싶었다. 그러나 지금 와서 생각해 보니 작가는 글을 잘 쓰는 사람이어야 하는데 나는 글을 잘 쓰는 사람은 아니라는 생각이 든다. 어린 시절에는 무턱대고 좋아 보이는 것을 꿈이라고 생각했던 것 같다.

하지만 지금의 나도 내 진로에 대해 진지하게 생각해 본 적이 많지 않다. 글을 못 쓰던 내가 작가가 되고 싶다는 생각을 했던 것처럼 미래에 좋은 직업 중에 하나를 골라 잘 살기 위한 진로를 선택하고 있는 듯하다. 지금이라도 내가 무엇을 좋아하는지, 무엇을 잘할 수 있는지 찾아보고, 어린 시절처럼 나의 꿈이 잊히지 않도록 해야겠다.

어떤가? 주어진 글감에서 생각나는 것을 쓰는 것으로 끝나는 것이 아니라, 글감을 생각하며 갖게 된 자신만의 관점으로 끝맺고 있다. 글감에 대해 무엇을, 어떻게 쓸지 고민하고, 읽는 사람에게 어떤 의미 있는 이야기를 전하고 싶은지 고민한 결과라고 생각한다. 글을 쓸 때는 다른 사람들이 찾지 못하는 관점을 가지고 글감을 바라보고 써야 한다. 그래야 읽는 사람에게 글을 읽는 재미를 주기도 하고, 의미를 남기기도 한다.

《혼자 있는 시간의 힘》의 저자 사이토 다카시는 자신이 가르치는 대학생들에게 '1주일 동안 자신에게 일어난 재미있는 이야기를 발표하라'라는 과제를 내주고는 한다.

학생들은 필사적으로 10개 정도의 에피소드를 모았는데, 에피소드를 모으기 위해서는 평소에는 무심코 지나쳤을 일을 유심히 살피면서 따로 메모하는 수밖에 없다.

그 과정에서 학생들은 익숙한 자신의 삶을 완전히 다르게 보게 된다. 의식의 등불이 밝아지면서 다양한 정보에 눈뜨게 되고, 사소한 일로 실수하는 경우도 줄어든다.

(중략)

글쓰기의 장점 중 하나는 글을 쓰면서 삶을 다시 한번 들여다본다는 것이다. 글쓰기는 자기 삶의 어느 한 장면을 끌어다 놓고, 그걸 이리저리 돌려보며 찬찬히 살피는 과정이다. 상황을 이루는 구조를 살피고, 상황을 초래한 인과 관계를 살피게 된다.[14]

---

14 고홍렬, 《글쓰기를 처음 시작했습니다》, 세나북스, 2020, 35~36쪽.

그렇다. 글을 쓴다는 것은 자신의 삶을 다시 한번 들여다보며 인과 관계를 살피고, 다양한 관점으로 평소에 하지 않을 생각을 오롯이 해 보는 시간이다. 그것이 쓰기의 내용을 향상시키는 길이며 글을 쓰는 이유이기도 하다. 글을 쓰기 전에 글감에 대한 나의 관점이 어떤 것인지 미리 정해야 헤매지 않고 글을 쓸 수 있다.

〈관점에 대해 배우는 방법〉

책을 읽고 난 후 작가의 관점이 무엇이었는지 생각해 보자. 그리고 책을 다시 읽어 보길 바란다. 그러면 작가가 자신이 말하고자 하는 바를 어떤 관점에서, 어떻게 글로 전개하고 있는지 알 수 있고, 배우게 된다. 긴 글을 읽는 것이 부담이라면 비문학 독해 정도의 글로, 즉 4~5단락의 글로 연습하는 것도 좋다. 글의 주제를 찾고, 관점이 무엇인지 확인한 후 다시 읽어 보자. 관점이 왜 중요한지 알 수 있고, 글의 전개 방식에 대해서도 배울 수 있을 것이다.

|글쓰기 톡! Talk?|

자유 : 나도 작가처럼

글쓰기 수업을 할 때 처음에는 '자유롭게 쓰기'를 한다. 자유롭게 쓰는 것으로 시작하면 글을 어떤 순서로 쓰는지, 글을 쓸 때 무엇을 어려워하는지 알 수 있으므로 앞으로 무엇을 어떻게 가르쳐야 할지 수업 계획을 세우기에 좋다. 한마디로 학생들의 상태를 파악하기에 좋고, 학생들도 자신의 문제점을 바로 확인할 수 있어서 좋다. 그러나 처음부터 자유롭게 글을 쓰는 것은 사실 쉬운 일이 아니기에, 먼저 순서대로 글을 쓴 뒤에 경험해 보는 것을 권한다.

자유롭게 쓰기는 어쩌면 특별한 제안이라고 여겨지지 않을 수도 있다. 늘 생각나는 대로, 한 편의 글을 어찌 썼는지도 모르게 습관적으로 이렇게 저렇게 써 왔을 것이기 때문이다. 그러나 자유롭게 쓰는 것은 글을 쓸 때 두려움에서 벗어나기 위한 방법이기도 하고, 가볍게 쓰면서 다양한 주제를 접해 보기에도 좋다.

다음의 방법들은 보기 편하게 번호를 매겨 두었지만 순서대로 해야 하는 것은 아니다. 쓰면서, 또는 쓴 뒤에 자신이 글을 쓸 때의 방식과 문제점 등에 대해 생각해 보길 바란다.

1. 생각나는 것을 생각나는 대로 써 보기

말 그대로 머릿속에서 생각나는 것을 생각나는 대로 쓴다. 이때 글을 쓴다는 생각보다는 머릿속에 있는 것을 모두 꺼내 놓는다는 생각으로 의식의 흐름에 따라 써 본다. 적어도 A4 한 장 분량은 쓰도록 한다. 다 쓴 뒤에는 색깔 있는 펜으로, 글을 쓴 후에 든 생각을 써 둔다.

2. 시간을 정해 써 보기

주제를 정한 후 2~3분의 시간을 타이머로 설정해 두고 글을 쓴다. 이때 주제는 눈에 보이는 사물로 정해도 좋고, 자신이 써 보고 싶은 주제를 선택해서 써도 좋다. 타이머가 멈추면 글도 멈춘다. 역시 다 쓴 후 색깔 펜으로 글쓴 뒤의 생각을 적어 둔다.

글을 쓸 때, 다른 힘든 점들도 많겠지만 제대로 잘 써야 한다는 부담이 보이지 않는 장애물이 되어 쓰기와 점점 멀어지게 하는 경우도 많다.

자유롭게 쓰는 연습을 통해 글쓰기 근육을 키워 보자.

5

★★★★★

호응 : 주어, 목적어, 서술어, 시제 등등

글을 다듬으려고 할 때 가장 먼저 보는 곳은 서술어, 즉 종결어미 부분이다. 서술어 부분만 일관성 있게 고쳐 놓아도 문장이 훨씬 깔끔하고 안정되어 보인다. 어린 시절에 써 놓은 일기나 편지글을 볼 수 있다면 종결어미 부분이 한결같지 않다는 것도 쉽게 눈에 띌 것이다. 주어와 술어가 호응을 이루도록 일관성 있게 맞춰 써야 한다.

보통은 글을 쓸 때 퇴고가 중요하다고 한다. 그러나 나의 경우 퇴고를 하지 않습니다. 이유는 습관이 되지 않아서다. 이제부터 퇴고를 해야겠습니다.

→ 보통은 글을 쓸 때 퇴고가 중요하다고 한다. 그러나 나의 경우 퇴고를 하지 않는다. 이유는 습관이 되지 않아서이다. 이제부터 퇴고를 해야겠다.

다른 부분들은 그대로 두고 종결어미를 일관성 있게 고치는 것만으로도 좋아졌음을 알 수 있다. 글을 쓰다 보면 앞에 종결어미를 어떤 것으로 했는지 잊고 뒤죽박죽 쓰게 될 때가 생각보다 많다. 특히 시간이 없을 때라면, 가장 빠르게 고칠 수 있으면서도 큰 효과를 보는 방법임을 알려주고 싶다.

다음으로는 문장 안에서 구성 요소들 사이의 호응을 봐야 한다. 문장을 읽다 보면 구성 요소들이 자연스럽지 않아 뭔가 어색할 뿐만 아니라 불완전한 문장이 되어 이해하기가 어려운 경우도 있다. 국어 시간에 호응에 관련된 문법을 배웠겠지만 글을 쓰다 보면 놓칠 수 있고, 또 실수를 찾아서 고치는 것은 쉽지 않으니 의식하고 집중하여 찾아야 한다.

주어	문장에서 동작이나 상태의 주체
목적어	동작의 대상이 되는 말
서술어	움직임, 상태, 성질 따위를 풀이하는 말

문장을 구성하는 필수 문장 성분에는 주어, 목적어, 서술어가 있다. 이런 주요 성분들은 문장에서 호응, 즉 짝을 이루어 나타나게 되는 경우

가 많다. 짝이 맞지 않으면 제대로 뜻이 전달되지 않을 수도 있고 비문처럼 느껴지기도 한다.

나는 중간고사 시험을 위해 열심히 공부를 시키려고 한다.

내가 공부를 하겠다는 말을 전하고 싶다면 '나는'과 '시키려고 한다'가 어울리지 않는다. 서술어와 주어가 호응을 이루지 못하는 경우다. 주어와 서술어의 호응을 찾기 위해서는 문장에서 주어와 서술어를 바로 연결해 읽어 보면 어떻게 고쳐야 하는지 알 수 있다. 이 문장도 주어인 '나는'과 서술어인 '공부를 시키려고 한다'를 연결해 보면 누군가에게 공부를 시킨다는 의미로 쓰여야 하기 때문에 그 대상을 지칭해야 한다. 즉 누군가를 가르치는 입장에서 중간고사 시험을 위해 공부를 열심히 시키겠다는 말을 하고 싶었다면 대상을 목적어로 써 줘야 하는데 목적어가 없으므로 문장의 주요 성분이 빠진 문장으로 봐야 한다.

– 나는 중간고사를 위해 혜성이를 열심히 공부시키려고 한다.

그러나 자신이 중간고사를 위해 열심히 공부하겠다는 말을 하려는 것이라면 '시킨다'가 아닌 '하려고 한다'는 문장으로 바꿔야 한다.

– 나는 중간고사 시험을 위해 열심히 공부하려고 한다.

시제나 높임말 등도 호응을 이루었는지 살펴봐야 하는 중요한 부분이다. 이런 부분들이 호응을 이루지 않아 문장의 완성도도 떨어지고, 어떤 경우에는 글을 쓴 사람의 인성에 문제가 있다는 생각까지 들기도 한다.

다음은 시제가 호응을 이루지 못한 경우이다.

어제는 특별히 부대찌개가 맛있다.

→ 어제는 특별히 부대찌개가 맛있었다.

우리나라는 예의 바른 나라로, 특히나 존칭에 대한 호응은 중요하다.

할머니가 밥을 먹는다.

→ 할머니께서 진지를 드신다.

내가 갈 곳은 선생님 집인데 바로 가려고 했었었다.

→ 내가 갈 곳은 선생님 댁인데 바로 가려고 한다.

이 외에도 부사어와 서술어의 호응도 신경 써야 한다.

글을 잘 써야 한다. 왜냐하면 자신의 생각을 나타내기 좋은 수단이다.

→ 글을 잘 써야 한다. 왜냐하면 자신의 생각을 나타내기 좋은 수단이기 때문이다.

만약 내가 신이라서, 시험을 없앨 것이다.

→ 만약 내가 신이라면, 시험을 없앨 것이다.

국어 시간에 많이 봤던 호응의 예시들이다. 이런 문장들이 나오는 것은 몰라서가 아니라 시간을 가지고 천천히 글을 쓰지 않기 때문에 생기는 문제라 생각한다. 게다가 누구라도 문장을 길게 쓰다 보면 부자연스러워질 수밖에 없다.

보통 한 문장의 길이로 40자 내외가 의미 전달에 가장 좋다고 한다. 하지만 머릿속에 떠오르는 생각들을 줄줄 쓰다 보면 60자 이상까지도 넘어가는 경우가 많다. 평소에 글을 쓸 때 길지 않게 쓰려고 노력하는 것도 좋지만, 이런 노력이 글쓰기를 방해한다면 차라리 생각나는 대로 쓰고 긴 문장을 40자 내외가 되도록 나누어 고쳐 보기 바란다. 단문인 경우에는 연결하여 한 문장으로 바꾸는 것도 필요하다. 또 문장력 강화를 위해 틈틈이 연습을 하거나 글을 읽으며 문장의 연결 등을 눈여겨봐 두는 것도 좋다.

학생들이 스마트 폰을 많이 쓸수록 소통이 줄어들어 사회성 발달에도 문제가 되며 시간을 많이 빼앗겨 학업에도 영향을 준다.

주어 '학생들이'와 '영향을 준다'는 호응하지 못한다. 영향을 주는 것이 학생이 아니라 스마트폰이기 때문이다.

→ 학생들이 스마트 폰을 많이 쓸수록 소통이 줄어들어 사회성 발달에도 문제가 되며 시간을 많이 빼앗겨 학업에 영향을 받는다.

제주도 망고 빙수는 어찌나 맛있는지 최고로 좋아하는 곳이다.

'제주도 망고 빙수'는 이 문장에서 주어처럼 보이지만 서술어 '좋아하는 곳이다'에 호응하는 주어가 없는 문장이다.

제주도 망고 빙수는 어찌나 맛있는지 내가 최고로 좋아하는 곳이다.

→ 제주도 망고 빙수집은 어찌나 맛있는지 내가 최고로 좋아하는 곳이다.

6

★★★★★

중복 : 역전 앞, 고목나무, 의미의 반복

오늘 3시에 역전 앞에서 만나자.

언어에서의 중복을 말할 때 먼저 떠오르는 예문이다. 전(前)도 앞을 나타내는 뜻이므로 의미상 '역앞앞'이 되기 때문이다.

→ 오늘 3시에 역 앞에서 만나자.

→ 오늘 3시에 역전에서 만나자.

우리말의 특성상 한자어와 어울려 쓰면서 생기는 겹말(중복어)이 많다.

이런 겹말은 일부러 쓴다기보다는 습관적으로 쓰고 있어서 겹말인지 미처 인식하지 못하고 쓰는 경우가 많다. 반복하지 않기 위해서는 이런 겹말의 습관을 먼저 고쳐야 한다. 흔히 사용하는 겹말을 알아 두면 습관을 고치기에 좋다.

중대한 기로 → '기로'가 이미 중대한 고비라는 뜻을 가지고 있다.

고목나무 → '고목'이 오래된 나무라는 뜻을 가지고 있다.

낙엽이 떨어지는 → '낙엽'은 나뭇잎이 떨어진다는 의미이다. 낙엽이 지다, 또는 잎이 지다로 바꾸는 것이 좋다.

약 30분 정도 걸린다. → '약'과 '정도'는 같은 뜻을 가지고 있다.

새로 개발한 신제품 → 신제품이 새로 개발한 제품이란 뜻을 가지고 있다.

학교 수업 시간에 앉는 자세가 좋지 않아 자세를 고쳐야 한다는 소리를 자주 듣는다. 학교 수업 시간이 길기도 하고 공부를 오랫동안 해야 하는 학생이니 어쩌면 숙명적인 일인지도 모르겠다.

글쓰기 훈련이 안 되어 있거나 읽는 사람의 가독성을 생각하고 쓰지 않으면, 이렇게 단어가 중복되는 경우가 많다. 이런 경우 의미에 차이가 나지 않도록 교체하거나 생략해 주는 것이 좋다.

책상에 앉는 자세가 좋지 않아 고쳐야 한다는 소리를 자주 듣는다. 학교 수업 시간이 길기도 하고, 공부를 오랫동안 해야 하는 학생이니 어쩌면 숙명적인 일인지도 모르겠다.

중복된 말을 피하기 위해서는 비슷한 말을 많이 알고 있는 것이 도움이 된다. 사전에서 낱말을 찾을 때 유의어를 함께 알아 두면 다른 말로 교체하기 좋다.

이제껏 시간이 많지 않았지만 앞으로 점점 많아지도록 할 것이며 충분히 과정을 검토하여 많은 사람들에게 혜택이 많아지도록 할 것이다.

→ 이제껏 시간이 많지 않았지만 차차 늘려 나갈 것이다. 또 충분히 과정을 검토하여 여러 사람들에게 혜택이 가도록 하겠다.

같은 말이 반복되면 글이 단조로운 인상을 준다. 단조롭다는 것은 간결함과는 다르다. 생각이 뚝뚝 끊어져 의미하는 바가 무엇인지 이해하기 어려울 수 있다.

내가 생각해 볼 때 어린 시절에 나는 조용했었다. 지금 와서 생각해 볼 때 어쩌면 외동이기 때문이지 않을까라는 생각을 해 본다. 어

쨌든 나를 생각해 볼 때 조용했던 외동 시절이 많은 영향을 준 것 같다.

→ 생각해 보니 어린 시절 내가 조용했던 이유는 어쩌면 외동이라 그렇지 않았을까 짐작된다. 외동이라는 사실이 내게 많은 영향을 준 것 같다.

같은 말이 반복되는 경우도 있지만 의미가 중복되는 경우도 있다. 의미의 중복은 의미를 부연하거나 강조하려는 경우에 쓰이며 습관적으로 사용하는 경우가 많다.

화재의 위험이 있으므로 무슨 일이 있어도 절대로 촛불을 끄는 것을 잊으면 안 된다.

→ 화재의 위험이 있으므로 반드시 촛불 끄기를 잊으면 안 된다.

→ 화재의 위험이 있으므로 반드시 촛불을 꺼야 한다.

'무슨 일이 있어도'와 '절대로'는 강조하기 위해 부연하여 쓴 경우이므로, 의미가 중복된 표현이다.

예상치 않게 갑자기 먼 곳으로 전학 간 친구에게 연락이 왔다.

→ 예상치 않게 먼 곳으로 전학 간 친구에게 연락이 왔다.

→ 갑자기 먼 곳으로 전학 간 친구에게 연락이 왔다.

'예상치 않게'와 '갑자기'는 의미가 중복된다. 둘 중 하나를 선택해서 쓰면 된다.

중복을 스스로 찾아내는 것은 쉽지 않을 수 있다. 글을 다 쓴 뒤 친구나 선생님에게 조언을 구하는 것이 좋다. 사람마다 말을 할 때 특별한 말하기 버릇이 있는 것처럼, 글도 그렇다. 자기만의 습관이 있고 그것을 고치는 것은 쉽지 않다. 그러니 조언을 받은 후엔 고쳐야 할 목록을 적어 두고 노력해 보자.

7

★★★★★

위치 : 수식어에 따라서 적절한 위치가 있다

어디서든 마찬가지지만 자신이 있어야 할 자리를 잘 아는 것은 중요하다. 낄 때 끼고, 빠질 때 빠져야 한다는 '낄끼빠빠'라는 말이 그냥 나온 말이 아닌 듯하다. 그런 의미에서, 문장에서도 문장 성분들의 위치가 잘 배열되어 있는지가 중요하다. 성분들 간의 위치가 적절하지 않으면 뜻을 제대로 전달하는 것도 어렵고, 비문이 될 수도 있다. 그러니 문장력 향상을 위해서는 국어 문법을 잘 알아 두는 것도 도움이 된다.

귀여운 친구의 웃음소리가 좋다.

이 문장은 두 가지로 해석할 수 있다. 친구의 귀여운 웃음소리가 좋다, 라고 볼 수도 있고 귀엽게 생긴 친구의 웃음소리가 좋다는 뜻으로도 해석이 가능하다. 이런 경우 수식어의 위치를 바꾸어 주는 것만으로도 오해의 소지가 사라진다.

귀여운 친구의 웃음소리가 좋다.
→ 귀엽게 생긴 친구의 웃음소리가 좋다는 뜻

친구의 귀여운 웃음소리가 좋다.
→ 친구가 귀엽게 웃는 웃음소리가 좋다는 뜻

앞의 문장처럼 수식어의 위치는 수식되는 말과 가까워야 좋다. 읽는 사람마다 다르게 해석할 수 있기 때문이다. 그런 의미에서 관형어, 부사어 등의 수식어는 수식되는 말 바로 앞에 위치해야 의미를 정확하게 나타낼 수 있다.

거침없는 선생님의 행동에 당황했다 솔직하게.
→ 선생님의 거침없는 행동에 솔직하게 당황했다.
→ 솔직하게 당황했다, 선생님의 거침없는 행동에

같은 의미를 담고 있는 문장이지만 서로 다른 느낌이 든다. 강조하려는 바가 다르기 때문이다.

문장의 순서는 원래 '주어+목적어+서술어'이다. 그러나 강조하는 것에 따라 순서가 달라지기도 하고 목적어가 긴 경우 '목적어+주어+서술어' 순으로 위치를 바꾸어 사용하기도 한다. 도치법을 생각하면 좋을 것이다.

학생들은 방학 기간 동안에 평소에 부족했던 과목과 기초체력을 다지기 위해 시간 조절을 잘해야 한다.

'학생들은'이라는 주어와 '잘해야 한다'는 서술어 사이의 목적어가 너무 길다. 이런 경우 앞으로 빼는 것이 오히려 쉽게 이해되는 문장을 만든다.

→ 방학 기간 동안에 평소에 부족했던 과목과 기초체력을 다지기 위해 학생들은 시간 조절을 잘해야 한다.

학생들이 코로나 검사를 받기 위해 보건소를 찾는 사람들의 모습을 보고 있다.

이 경우 역시 마치 학생들이 코로나 검사를 받기 위해 보건소를 찾은 것처럼 이해될 수 있다.

→ 코로나 검사를 받기 위해 보건소를 찾은 사람들의 모습을 학생들이 보고 있다.

교실에서 공부에 집중하기 위해서는 어떤 자리에 위치하느냐가 중요하다. 문장에서도 단어의 위치가 중요하다는 것을 기억하고, 서로 위치를 바꾸어 가며 표현하고자 하는 것을 잘 표현할 수 있도록 좋은 선택을 하는 노력이 필요하다.

8
★★★★★

다이어트 : 줄이고 줄이고 또 줄여라

글쓰기의 두려움을 없애기 위해서는 자기 검열 없이 무조건 쓰라고 말한다. 일단 쓰기 시작하면 머릿속의 생각들도 움직이기 시작해, 예상하지 못했던 아이디어들이 떠오르기도 한다. 그러니 어쨌든 고민에 고민을 하느라 쓰지 못하는 것보다는, 틀린 문장 투성이에 매끄럽지 못하다 해도 쓰는 것이 낫다.

글쓰기 수업을 할 때 학생들이 쓴 글을 보다 보면 종종 해독하기 어려운 글씨와 가독성을 떨어뜨리는 띄어쓰기, 틀린 맞춤법 등을 고쳐 주고 싶은 욕망에 사로잡힌다. 그래서 때로는 직접 보지 않고 넘어갈 때도 있다. 글쓰기 시간에 가장 중요한 것은 그런 문법적인 부분보다 일단 쓸 수 있다는 자신감, 그리고 쓰고 싶다는 열망을 갖도록 지도하는 것이라고 생각하기 때문이다.

우리 학교가 끝나고 나의 친구들끼리 모여서 학교 앞 떡볶이집으로 향해 걸어갔다. 하지만 떡볶이는 정말 전부 다 팔려서 아예 없었다. 이럴 수가, 이럴 수는 없는 것이다. 온통 하루 종일 이 시간만을 거의 매 시간을 기다렸는데 마상이다.

불편한 문장을 쓰는 일도 쉽지 않다. 이 정도로 쓰진 않을 텐데, 라는 생각을 하면서 일부러 억지스럽게 써 보았다. 매끄럽지도 않고 소리 내어 읽으면 거슬리는 부분들도 보인다. 간결하지 않고 중복되는 군말들이 있기 때문이다.

사족을 빼라는 말이 있다. 사족은 뱀의 그림에 그려넣는 다리라는 뜻으로, 쓸데없는 일을 덧붙이는 것을 이르는 말이다. 뱀에게 있지도 않은 다리를 그려 넣은 것처럼, 위의 글도 뭔가 어색하고 불편해 보인다. 글을 쓴 뒤에는 가능한 한 불필요한 것들을 빼야 한다. 그래야 자신이 전하고자 하는 뜻을 명확하게 전달하는 간결한 글이 된다.

이제 억지로 써 본 위의 글을 살펴보자.

가족, 집, 심지어 엄마라는 말 앞에도 '우리'를 붙이는 경우가 많다. 아마도 그것은 의식의 문제일 것이다. '우리'라고 쓸 경우 느껴지는 정과 친밀해지는 느낌 때문인 듯하다. 하지만 빼는 것이 좋다. '나의 친구들' 역시 그런 생각에서 붙인 듯하니 삭제하자.

'향해 걸어갔다'도 '향했다' 또는 '떡볶이집으로 갔다'처럼 간결하게 고치는 것이 좋다. '하지만'처럼 굳이 쓰지 않아도 되는 접속사는 빼는 것이 좋다. 글을 쓸 때 매끄럽게 연결시키는 방법으로 접속사를 붙이는 경우가 많다. 나름대로 기능을 하도록 선택한다고 믿는 것이다. 그러나 접속사를 빼도 흐름에 문제가 없다면 없애는 것이 좋다. 나의 경우 처음부터 접속사를 쓸지 말지 고민하는 것보다는 일단 쓰고 싶은 대로 썼다가, 퇴고를 할 때 읽어 보며 삭제 여부를 정한다. 이렇게 크게 고민하지 않고 일단 쓰면 흐름을 끊지 않고 쓸 수 있어서 좋다. 하지만 의미 전달을 위해서는 최대한 간결한 문장이 좋기 때문에, 퇴고할 때는 단호하게 빼도록 해야 한다.

'정말, 전부 다 팔려서 아예 없었다'에서도 정말, 전부, 다는 모두 팔린 것을 강조하기 위해 쓴 말이다. 그러나 '다 팔려서 아무것도 없었다'라고만 써도 의미 전달은 충분하다.

'이럴 수가, 이럴 수는 없는'도 빼거나 '이럴 수는 없다'로 고치자.

마지막 문장에서도 '온통', '거의 매 시간' 등은 사족이다. 그리고 '마상'처럼 줄임말은 쓰지 않도록 해야 한다. 누구나 읽고, 이해할 수 있는 글을 써야 하는데, 줄임말은 청소년 사이에서도 무슨 말인지 몰라 물어보기도 하는 등, 많은 이들이 쉽게 이해할 수 없는 말이다. 그러니 글을 쓸 때는 누구나 이해할 수 있는 언어를 사용하는 습관을 들이는 것이 좋다.

학교가 끝나고 친구들과 학교 앞 떡볶이집으로 갔다. 하지만 떡볶이는 다 팔려서 없었다. 이럴 수가, 하루 종일 이 시간만을 기다렸는데. 마음의 상처를 받는 날이었다.

이렇게 정리하니 앞의 글보다 훨씬 간결해지고 이해하기 쉬운 문장이 되었다.

귀하고, 소중한 시간들을 아껴 쓰지 않으면 인생을 무의미하게 낭비하고 탕진하게 되어 엄청나게 되돌리고 싶다는 후회를 하지 않을 수 없을 것이다.

연습 삼아 위의 문장에서 반복되는 말들을 줄이고 간결하게 고쳐 보자. 다양하게 바꾸어 보는 것도 문장력을 높이는 데 도움이 된다.

– 소중한 시간을 아껴 쓰지 않으면 인생을 무의미하게 낭비했다고 후회할 것이다.

– 시간을 아껴 쓰지 않으면 인생을 낭비했다고 후회할 수 있다.

— 시간은 되돌릴 수 없다. 후회하지 않기 위해 아껴 쓰자.

|글쓰기 톡! Talk?|

친숙함 : 친숙함으로 승부하라

잘 쓴 글들은 나름대로 여러 가지 방식의 매력을 가지고 있다. 그중 좋아하는 방식은 독자에게 친숙한 예나 비유를 들어 이해를 돕고, 자신이 경험한 것을 적절히 연결시켜 설명하는 글쓰기다.

만약 짜장면을 한 번도 먹어 보지 않은 사람이 있다면 어떻게 설명하는 게 좋을까? 아마도 짜장면과 비슷한 그 무엇에 빗대어 설명하지 않을까.

짜장면은 우동면하고 상당히 비슷한 면을 사용하는데, 우동면보다는 쫄깃쫄깃한 것 같아. 하지만 그렇다고 쫄면처럼은 아니다. 위에

뿌려 먹는 소스는 까만색인데 중국의 춘장이란 건데 우리나라 고추장이랑 느낌이 비슷해. 하지만 맛은 완전 달라. 좀 달달하달까. 그리고 여기에는 간 고기와 양파가 많이 들어가.

우동과 쫄면, 그리고 고추장같이 친숙한 것들을 통해 설명하고 있다. 정말 짜장면을 한 번도 보지 못한 사람이라고 해도 어느 정도는 상상할 수 있을 것이다. 이렇게 빗대는 방식은 자기소개서를 쓰거나 면접 때 자신을 설명하려고 할 때 사용되기도 한다.

저는 물과 같은 사람입니다. 어느 곳에 담기든지 어울리도록 변형되고, 생명의 존재에 없어서는 안 될 물처럼 어떤 순간, 어떤 상황에서도 환경에 적응하는 능력을 갖고 있다고 생각합니다.

저는 만두 같은 사람입니다. 겉보기엔 평범해 보이지만 알차게 속이 꽉 찬 만두처럼 나를 좋은 것으로 채우기 위해 노력하고 살았기 때문입니다.

앞으로 자신을 빗대어 표현해야 할 일은 몇 번쯤 있을 테니, 어떻게 표현하면 좋을지 생각해 두는 것도 좋다.

다음은 표의 가운데 있는 스마트 폰을 어디에 비유할 수 있는지 나머지 칸에 적어 보고, 스마트 폰과 다른 단어를 연결시켜 글을 써 보자. 어떻게 설명할지 고민이 되기도 하겠지만 쓰다 보면 자연스럽게 비유하여 설명하는 것에 능숙해질 수 있다.

이런 방식으로 다른 단어들로 연습해 보는 것도 권한다. 혼자가 벅차다면 친구들과 함께 비유할 낱말을 찾고 글을 쓴 뒤에 공유하는 것도 좋다. 어휘력도 더불어 향상될 것이다.

선생님	백과사전	
인공지능	스마트 폰	

스마트 폰이 없던 시대를 상상할 수 없다. 물론 내가 어린 시절에는 엄마가 핸드폰 사 주시는 것을 미루고 미뤄 중학교에 들어가서야 가질 수 있기는 했지만 어린 시절에도 틈틈이 부모님이나 친구의 핸드폰으로 여러 가지를 했었다. 최근에 나는 스마트 폰이 거의 선생님 같다는 생각이 든다. 마치 선생님처럼 내가 궁금한 모든 것을 알려주기 때문이다. 모르는 낱말, 맛집, 날씨 등등 살면서 내가 궁금해하는 모든 것을 알려주고 있다.

5부

퇴고 ;
악성 댓글을 피하는 방법

1
★★★★★
퇴고의 3가지 원칙 : 삭제, 부가, 재구성

"모든 초고는 쓰레기다."

헤밍웨이가 한 이 말은 쓰레기라는 강한 표현으로 인해 잊히지 않는 말 중 하나다. 표현은 다르지만 헤밍웨이만이 아니라 다른 많은 작가들도 글쓰기 과정에서 퇴고가 중요한 과정이라는 것을 강조한다.

처음 글을 쓰고 수정하지 않은 상태의 글을 의미하는 초고는 완성된 글이라고 할 수 없다. 자신의 생각을 거침없이 종이에 내뱉어 놓은 상태일 뿐이다. 우리가 누군가와 감정적으로 문제가 생겨 다툴 때 욱해서 자신도 미처 생각하지 못한 말, 해서는 안 될 말을 꺼내 놓고 뒷수습을 걱정하는 것과 같다.

계획하기를 통해 글을 어떻게 쓸지 구상하고, 처음 의도한 대로 잘 쓰려고 해도 막상 글을 쓰다 보면 의식의 흐름을 따라 토해 내듯 쓰게 되는 경우가 많다. 그런 이유에서 글을 쓰다 생긴 많은 문제를 해결해서 완성도를 높이는 퇴고의 과정은 쓰기의 마지막 단계이자 중요한 과정이다.

퇴고를 할 때 흔히 3원칙이 있다고 말한다. 불필요한 부분을 없애는 삭제의 원칙, 필요한 내용을 첨가하는 부가의 원칙, 글의 전체적인 조직이나 흐름을 살펴보는 재구성의 원칙이다. 글의 수준을 높이기 위해 반드시 해야 하는 단계이지만, 대부분은 가볍게 훑어보듯이 읽고 넘기는 경우가 많다. 그러나 제대로 알고 꼼꼼하게 실천하는 퇴고의 시간은 글을 돋보이게 할 뿐만 아니라 읽기에도 좋고, 이해하기에도 편한 글을 만들어 준다.

삭제의 원칙	허세를 부리는 모습이 좋지 않은 것처럼 글도 역시 힘을 빼고 진실하게 써야 하며 불필요하거나 중복된 부분, 과장된 부분들은 정리해야 한다.
부가의 원칙	하고 싶은 말을 다 써 놓은 글이니 다시 읽어 보면서 뺄 건 빼고, 넣을 건 넣도록 해야 한다.
재구성의 원칙	앞뒤 문장만 바꾸어도 임팩트가 생긴다. 필요에 따라 문장과 문장을, 단락을 바꾸도록 해야 한다.

퇴고의 과정이 글의 완성도만 높여 주는 것은 아니다. 쓰면서 퇴고의 과정이 있음을 염두에 두면 가벼운 마음으로 써 내려갈 수 있게 된다. 처음부터 제대로 써야겠다고 부담을 지니고 시작하면 엄두가 나지 않아, 제대로 진행하기 어렵다. 그러나 퇴고의 과정이 있다고 생각하면 중간에 정리가 안 되는 부분이 있어도 일단 쓰고 고치자는 생각으로 나아갈 수 있고, 한 편을 끝내는 힘을 가질 수 있다. 나 역시 이 글을 쓰는 도중에 자꾸 일어나는 마음속 생각들을 나중에 고치자는 생각으로 넘겨 가며 꿋꿋이 여기까지 쓰고 있다.

이렇게 자신이 스스로를 비판하는 것을 일반적으로 '자기 검열'이라 한다. 자기 검열은 쭉쭉 나가고자 하는 힘을 방해한다. 자꾸 멈추게 할 뿐만 아니라 자신감까지 떨어뜨린다. 누구나 중간에 막히거나 어려워지는 부분이 있을 수 있는데도, 글을 못 쓴다고 스스로 단정해 버리고 포기하게 만든다.

밥을 할 때 뜸 들이는 시간이 중요하다고 한다. 뜸을 들인다는 말은 어떤 일에 충분한 시간을 준다는 의미이기도 하다. 무슨 일을 하든 넘겨야 하는 고비가 있고, 그 순간까지 가기 위한, 그것을 넘기기 위한 시간이 필요하다. 마라톤을 하는 선수들에게도 숨이 턱까지 차서 더 이상 뛰지 못할 것 같은 고비의 시간이 온다고 한다. 그것을 넘겨야 계속해서 달릴 수 있으며, 이는 마라톤에서뿐만 아니라 어떤 일을 완성하기 위해서든 마찬가지다.

글을 쓸 때에도 고비가 있다. 이때 뜸을 들이듯 시간을 가지는 것이 필요하다. 발효를 시키는 것처럼 시차를 두고 살펴볼 필요도 있다. 처음부터 다시 읽어 보면 다른 사람의 글을 보는 것처럼 어색한 부분이 보이기도 하고, 새로운 아이디어가 생겨나 이어 쓰기가 가능해진다. 퇴고의 시간이 필요한 것도 그 때문이다. 앞부분부터 써 두었던 글을 다시 읽으며 그때와 달라진 생각들을 정리해서 보충하여 넣기도 하고, 연결이 어색한 부분을 그럴듯하게 이어 주는 문장을 넣을 수도 있기 때문이다.

〈퇴고의 단계 정리〉

① 전체적으로 주제와 맞는지 살펴본다.

② 단락의 소주제와 잘 연결되어 있는지 본다. (1:1의 법칙)

③ 단락과 단락의 연결이 매끄러운지 본다.

④ 뺄 것은 빼고, 보탤 것은 보탠다. (접속어, 조사, 어휘, 비속어, 은어 등)

⑤ 맞춤법과 띄어쓰기가 잘못된 부분은 없는지 살펴본다.

2
★★★★★
함께 첨삭하기, 소리 내어 읽어 보기

글을 다 쓴 후 퇴고를 하기 위해 소리 내어 읽으면 고쳐야 할 것들이 새롭게 보이게 된다. 분명히 천천히 읽으며 고친다고 고쳤는데, 소리를 내어 읽다 보면 묵독으로 읽을 때 발견하지 못했던 것들을 찾을 수 있다. 틀린 곳을 찾으려는 자세로 특별히 꼼꼼히 읽는 것이 아니라, 그냥 가볍게 읽기만 했을 뿐인데도 그렇다.

이런 이유로 퇴고의 과정 중 첫 번째로 '소리 내어 읽기'를 권한다. 소리 내어 자신의 글을 읽으면 제3자의 입장이 되어 글이 객관적으로 들린다고 한다. 독자의 입장이 되어 글을 볼 수 있게 되는 것이다.

학생들에게 퇴고의 과정을 설명하기 전에 다 쓴 글을 읽어 보라고 하면, 아무런 언급을 하지 않았는데도 읽어 나가다가 잘못되었거나 어색한 부분에서 갑자기 더듬더듬 천천히 읽는 모습을 볼 수 있다. 스스로 잘못된 곳을 발견한 것이다. 때로는 즉석에서 바르게 고쳐서 읽는 경우도 있다. 낭독이 끝난 뒤 읽으면서 문제가 있다고 생각된 부분을 고치라고 하면, 퇴고가 무엇인지 쉽게 이해하고 찾아 고치곤 한다. 이런 과정이 퇴고의 첫 번째 과정이다.

우리는 우리의 뇌가 좋아지길 바라며, 뇌가 더욱 활성화되도록 많은 방법으로 노력한다. 머리에 좋다는 영양제를 먹기도 하고, 다양한 놀이 활동을 하거나 관련 문제집을 풀기도 한다. 뇌가 활성화되면 무슨 일을 하더라도 훨씬 효율적일 거라고 생각하기 때문이다.

뇌의 활성화를 위해 우리가 쉽게 할 수 있는 일 중 하나가 바로 소리 내어 읽기, 즉 낭독이다. 낭독을 할 때는 뇌 신경세포의 70% 이상이 반응하는데, 이는 다른 어떤 활동보다 높은 수치이며 외우려고 노력할 때보다 뇌가 더 많이 일을 한다는 것이다. 그러니 퇴고의 과정을 위해 소리 내어 읽는 것은 일석이조의 효과 그 이상이 있는 것이다. 소리 내어 읽을 때는 다른 사람 앞에서 읽는 것이 더 효과적이다. 타인 앞에서 나의 글을 읽을 때와 혼자서 읽을 때는 마음가짐과 태도가 달라지기 때문이다. 여러 사람 앞에서 읽다 보면 틀린 곳을 더 많이 발견하게 되기도 한다.

앞에서도 이야기했지만 우리가 쓰는 글은 기본적으로 누군가에게 읽히기 위해 쓰는 것이다. 그러니 독자들에게 나의 글을 들려준다는 기분으로 읽으면서, 듣는 사람의 반응도 살펴보는 것이 좋다. 글을 쓸 때 나의 머릿속으로는 충분히 재미있을 거라고 생각했지만 정작 독자는 무슨 말인지 잘 이해하지 못하겠다는 태도를 보이거나, 이해는 되지만 재미가 없다고 할 수도 있다. 나 역시 글을 쓰고 스스로 퇴고 과정이 끝나면 다른 사람들에게 글을 읽고 이해되지 않는 부분, 어색한 표현이나 비문 등을 표시해 달라고 한다.

학생들을 대상으로 수업할 때는 이것을 '함께 첨삭하기'라는 이름으로 부른다. 5명 내외의 모둠을 정해 각자 쓴 글을 인쇄한 후 돌려 가며 첨삭해 주는 것이다. 여러 사람의 의견이 더해져 자신의 글이 지닌 문제점에 대해 인식하기도 하고, 첨삭을 해 주기 위해 글을 분석적으로 읽는 태도를 키울 수도 있다.

'함께 첨삭하기'는 작가의 입장과 독자의 입장이 모두 되어 볼 수 있다는 점에서 좋은 방법이다. 그러나 아직 배우는 입장의 학생들에게는 한계가 있을 수밖에 없다. 잘 모르기 때문에 첨삭을 해 주는 데도 한계가 있기 때문이다. 따라서 함께 첨삭에 대해 배운다는 입장으로 미리 어떤 것을 중점적으로 퇴고할 것인지 정하고 시작하는 것도 좋다. 예를 들면 첨삭 전에 종결형 어미의 형태를 맞추도록 한다거나 주어나 목적어가 빠진 것을 보자는 식으로 무엇을 볼 것인지 정하거나, 잘 이해되지 않는 부분은 물음표를 붙여 놓는 등의 약속이 필요하다.

함께 첨삭하기

1. 다 쓴 글을 스스로 첨삭해 본다.
2. 첨삭이 끝난 글을 프린트한다.
3. 미리 중점적으로 첨삭 시에 볼 부분과 기호 등에 대해 약속한다.
4. 옆 친구와 바꾸어 첨삭해 본다.

알아 두면 좋은 교정부호

교정부호	쓰임	고치기 전	고친 후
	붙여 쓸 때	첨삭 해 본다.	첨삭해 본다.
	띄어 쓸 때	미리중점적으로	미리 중점적으로
	글자를 뺄 때	우우리학교에서는	우리 학교에서는
	한 글자 고칠 때	옆 야 친구와 바꾸어	옆 친구와 바꾸어
	여러 글자 고칠 때	첨삭이 첨사기 끝난 글을	첨삭이 끝난 글을
	줄 바꿀 때	그렇게 끝났다. 하지만 사실은	그렇게 끝났다. 하지만 사실은
	줄 이을 때	맛있는 점심이었다. 다음번에도 가야겠다.	맛있는 점심이었다. 다음번에도 가야겠다.
	앞뒤 순서 바꿀 때	말했다. 나는 분명히 아니라고	나는 분명히 아니라고 말했다.
	내용 추가할 때	아니라고 나는 분명히 말했다.	나는 분명히 아니라고 말했다.

3

★★★★★

나의 글이 고급지게 바뀌는 12가지 체크포인트

글을 고치거나 읽을 때는 당연히 첫 문장을 읽으며 시작한다. 마찬가지로 퇴고를 할 때도 첫 문장이나 첫 단어를 더 고심하며 고치게 되는 경우가 많다. 하지만 첫 번째 퇴고와 함께 첨삭까지 마쳤다면 첫 문장이나 앞부분뿐만 아니라 전체적으로 문장 하나하나, 단락과 단락을 찾아 꼼꼼하게 들여다보는 과정이 필요하다. 아마도 본격적인 퇴고의 과정이 될 것이다.

〈퇴고할 항목들〉

1. 주제 문장을 잘 드러내고 있는가?

2. 소주제문과 뒷받침 문장들이 잘 연결되어 있는가?

3. 구성과 흐름이 적절한가?

4. 문장과 문장의 연결이 매끄러운가?

5. 비문이나 이해하기 어려운 문장은 없는가?

6. 적절하지 않은 단어나 표현은 없는가?

7. 중복되거나 군더더기는 없는가?

8. 문장이 길지는 않는가?

9. 맞춤법과 띄어쓰기의 오류는 없는가?

10. 내용이 잘 이해되는가?

11. 담고자 했던 가치가 잘 표현되었는가?

12. 예상 독자가 쉽게 이해할 수 있는가?

퇴고를 하기 위해서는 거시적으로도 보아야 하고, 현미경으로 들여다 보듯 미시적으로도 봐야 한다. 그러나 자신의 글을 스스로 보는 일은 결코 쉽지 않다. 위의 12가지 퇴고 항목을 순서에 상관없이 짚어 가며 찾아보길 바란다. 그리고 자신만의 퇴고 순서를 만들어 보자. 글을 쓸 때도 그렇지만 퇴고를 할 때에도 계획이 필요하다.

4
★★★★★
글 쓰는 기쁨보다 고치는 기쁨을 만끽하라

노력을 하기 위해서는 글쓰기가 재미있어야 한다. 쓰는 일에 대한 흥미가 필요하다. 머릿속 생각이 문자로 드러나는 쾌감을 즐기는 것이다.

쓰는 즐거움보다 더 많이 필요한 게 고치는 기쁨이다. 고치면서 글이 더 윤기 있고 깔끔해질 때 다가오는 쾌감을 즐길 수 있어야 한다. 지저분한 방을 정리했을 때와 같은 기쁨이 필요하다.[15]

퇴고를 할 때, 지저분한 방을 정리했을 때와 같은 기쁨이 필요하다는

15 장순욱, 《글쓰고 지우고 줄이고 바꿔라》, 북로드, 2012, 179~180쪽.

말이 가슴에 와 닿는다. 글을 쓸 때의 기쁨도 있지만 글을 고쳐 마음에 드는 표현으로 바꾸었을 때의 기쁨도 만만치 않다. 한 번에 되는 일이 없다는 것만 기억하면 된다.

이것은 글쓰기 초보자에게만 해당되는 말이 아니다. 누가 글을 쓰더라도 퇴고를 한 번만 하고 끝낼 수는 없기 때문이다. 나도 책을 낼 때 저자는 보통 자신의 원고를 몇 번 읽어 보는지 질문을 받은 적이 있다. 세어 본 적은 없지만 나는 앞서 말한 것처럼 발효를 시키듯 뜸을 들이며 쓰는 스타일이다. 잘 써질 때는 몇 시간 동안 꼼짝하지 않고 쓰다가도, 그렇지 않을 때는 멈추고 며칠 딴짓을 하다가 다시 도전한다. 그렇게 잠시 멈췄다가 다시 글을 쓸 때는 주제 문장도 다시 한번 읽어 보고 목차도 훑어보면서 흐름을 되찾기 위한 워밍업의 시간을 가진 다음 시작한다. 그러고는 처음부터 글을 다시 읽으며 퇴고하는 마음으로 거슬리고, 어색하고, 잘못된, 마음에 안 드는 부분들을 고친다. 그러니 실제로 원고를 읽는 횟수는 수없이 많을 것이다.

퇴고라고 하면 글을 다 쓴 후 마지막으로 한 번 고치는 것이라고 흔히들 생각하지만 퇴고는 글을 쓰는 도중에도 틈틈이 해야 하고, 마지막에 몰아서 전체적인 주제와 내용의 흐름 등을 고칠 필요도 있다. 그러니 한 번에 모든 것을 완벽하게 하겠다는 생각은 버리길 바란다.

퇴고를 하다 보면 늘 고치게 되는 부분이 있다. 나의 경우 '정말, 진짜, 아주'와 같이 강조하기 위해 붙이는 군더더기 말을 자주 쓰고, '그렇지만, 하지만' 같은 접속사도 자주 쓴다. 자신이 자주 쓰는 문장은 스스로에게 익숙하고, 또 그렇게 쓰는 스타일을 좋아하기 때문이다. 그것을 빼고 쓰려면 문장이 어색하고, 허전한 느낌이 드는 것이다. 따라서 그런 습관을 알고 고치는 것도 쉽지 않으며, 실제로 나 역시 꽤 시간이 걸렸다. 퇴고를 할 때는 글에서 발견되는 자신의 습관을 고치려고 노력하는 것이 좋다. 자기가 고쳐야 한다고 생각되는 습관을 발견하면 노트를 마련하여 틈틈이 적어 두는 것도 좋다. '퇴고 노트'를 만들어 두는 것이다. 글을 쓸 때 그것을 염두에 두고 의식적으로 고치려고 노력할 수 있고, 퇴고할 때나 글을 다듬을 때도 도움이 된다. 또 다음 글을 쓸 때도 퇴고 노트를 한 번 가볍게 읽고 나서 시작하면, 피해야 할 습관들을 의식할 수 있어 더 정돈된 글쓰기를 할 수 있다.

|글쓰기 톡! Talk?|

일기 : 꾸준함을 키워 주는 힘

어린 시절 숙제로 썼던 일기를 다시 읽어 보니, 일기를 볼 선생님을 의식하고 썼다고 하더라도 그때 당시의 생각과 감정들이 담겨 있는 것을 볼 수 있었다. 그때의 기억들이 되살아나 그리운 마음도 들었다.

일기는 그날그날 있었던 일을 바탕으로 자신의 감정이나 생각을 쓰는 것이다. 초등학생 시기가 지나 성인이 되어서도 왜 일기를 써야 하냐고 묻는다면 '성찰'을 할 수 있기 때문이라고 답하고 싶다. 성찰은 자신을 깊이 되돌아보는 일이다.

어린 시절처럼 일기를 쓰라는 것은 아니다. 시간도, 내용도, 형식도 자유롭게 쓰기를 바란다. 글을 쓰는 데에 좋은 시간은 따로 없다. 자기가 쓰고 싶을 때 쓰면 된다. 단순히 하루를 정리하기 위해서가 아니라, 자신의 감정과 생각을 낱낱이 자세하게 적는 일에 집중하는 것이 좋다. 우리가 쓰려는 일기는 글쓰기와 성찰을 위한 것이기 때문이다.

매일 아침 의식의 흐름을 세 쪽 정도 적어 가는 것이다. "어휴, 또 아침이 시작되었군. 정말 쓸 말이 없다. 참, 커튼을 빨아야지. 그건 그렇고 어제 세탁물을 찾아왔나? 어쩌고저쩌고……." 모닝 페이지는 저급하게 말하면 두뇌의 배수로라고 부를 수도 있다. 그것이 모닝 페이지가 하는 커다란 역할 가운데 하나이기 때문이다.

잘못 쓴 모닝 페이지란 없다. 매일 아침 쓰는 이 두서없는 이야기는 세상에 내놓을 작품이 아니다.[16]

줄리아 카메론이 쓴 《아티스트 웨이》에 나오는 모닝 페이지에 대한 이야기다. 물론 모닝 페이지는 일기 쓰기와는 다르다. 하지만 꾸준히 자신의 이야기를 쓴다는 점에서, 또 일기처럼 자신만이 보기 위해 쓴다는 점에서 비슷하다. 모닝 페이지도 그렇지만 내가 권하는 일기 쓰기도 생각나는 대로 거침없이 자유롭게 쓰는 것이 원칙이다.

16 줄리아 카메론, 《아티스트 웨이》, 경당, 2012, 45쪽.

이런 식으로 글을 쓰다 보면 자신이 하고 싶은 말이 무엇인지 알게 된다. 글은 하고 싶은 말이 넘쳐야 잘 써진다. 그래서 그런 '하고 싶은 말'을 만들기 위해 책도 읽고, 뉴스도 읽고, 대화도 하는 등 생각을 하려고 애쓰게 된다. 이제부터 쓰는 일기는 그런 나의 생각들을, 감정을, 관찰을 담아야 한다. 하고 싶은 말을 잊지 않도록 적어 두는 것이라고 생각해도 좋다.

자신의 이야기를 꾸준히 쓰다 보면 문장력도 좋아지고 관찰력도 덤으로 따라올 것이다. 어떤 일이라도 정성을 들이면 깨달음이 있게 된다. 일기 쓰기도 마찬가지다. 편편이 조각처럼 쓴 일기가 글쓰기 실력을 얼마나 좋게 할까 싶지만, 자신의 글쓰기 실력이 늘었음을 느끼는 날이 반드시 온다. 꾸준히, 그리고 자유롭게 일기 쓰기를 권한다.

|글쓰기 톡! Talk?|

글쓰기, 질문 있어요!

1. 꾸준히 글쓰기 연습을 하라고 하는데, 매일 쓰라는 말인가요?

글쓰기가 어렵다고 하지만 의외로 학생들은 글쓰기에 대한 질문을 잘 하지 않는다. 질문할 게 없어서라기보다는 구체적으로 무엇을 어떻게 질문해야 하는지도 모르거나, 이걸 질문하면 웃음거리가 되지 않을까 하는 생각 때문인 듯하다.

어떤 일을 하든 고수가 되기 위해서는 꾸준함이 필요하다. 글쓰기도 마찬가지로 꾸준한 연습이 필요하다. 그러나 학생들은 묻는다. 무엇을, 어떻게 연습해야 하느냐고. 매일매일 쓰기만 하면 실력이 느는 게 맞냐고 묻는다.

어떤 일이든 의도적으로 연습하지 않으면 한계를 가지게 된다. 평균 이상의 실력으로 늘기 힘들다는 의미다. 매일 글을 쓴다면 물론 글쓰기는 당연히 늘 것이다. 하지만 얼마큼의 시간과 어느 정도의 실력으로 향상되는지는 답할 수 없다. 어떻게 계획하고 어떤 방법으로 쓰느냐에 따라서 결과는 아주 달라질 것이기 때문이다.

피아노를 잘 치고 싶다는 목표를 세웠는데, 피아노 앞에 앉아 연주 방법을 배우지 않고 무조건 건반만 두드린다면 연주 실력이 느는 것을 기대하기는 어렵다. 가능하다 하더라도 단계적으로 피아노 연주를 배우고, 이미 검증된 방법들을 따라 연습해 나가는 것에 비하면 비효율적일 것이다.

글쓰기도 마찬가지다. 일단 꾸준한 연습을 위해서는 일정한 시간과 장소를 정해 글쓰기를 하는 게 좋다. 다이어트를 위해 냉장고를 멀리해야 하거나 먹방 같은 것을 보지 않는 방법을 선택하듯이, 글쓰기에 습관을 들이려면 일정한 시간과 장소를 정해 꾸준히 연습할 수 있도록 해야 한다.

하나의 주제를 가지고 더 이상 다른 생각이 나지 않을 때까지 글을 써 보는 것도 좋다. 글의 종류는 상관없이 주제에 대해 생각나는 것을 모두 써 보는 것이다. 평소 글감이 주어졌을 때 무엇을 써야 할지 몰랐던 사람이라면 글을 쓰기 위한 소재들을 찾아내는 법을 배울 수 있다.

자신이 원하는 것을 얻기 위해서는 꾸준히 노력하는 것 말고 다른 방법은 없다. 요행이나 왕도를 바라면 안 된다는 말이다. 글을 잘 쓰기 위해 꾸준히 노력하는 방법을 터득한다면 다른 일에서도 원하는 바를 이룰 방법을 깨우칠 수 있을 것이다. 그러니 인내심을 가지고 차근히 하나하나 연습해 보자.

2. 책을 좋아해서 많이 읽는 편인데 글쓰기는 여전히 어려워요. 책 읽는 건 글쓰기에 도움이 안 되나요?

독서가 중요하다고 말하면 사람들은 책을 많이 읽는데도 기억이 나지도 않고, 도움이 되는지도 잘 모르겠다고 한다. 이런 현상은 읽기는 읽었으되 소화할 시간을 충분히 갖지 않았기 때문이다.

나는 무조건 다독을 하라고는 권하지 않는다. 한 권을 읽더라도 제대로 된 독서법으로 읽은 뒤 내면화하는 시간을 갖는 것이 삶에 유용한 독서라고 생각하기 때문이다. 같은 이유에서 필사와 토론을 많이 권하는 편이다.

필사를 하면 단어 하나하나, 문장 하나하나를 꼼꼼히 되새기며 따라 쓰기 때문에 자연스레 문장에 대해서도 배울 수 있고, 글의 구성에 대해서도 배울 수 있다. 또 책을 읽고 토론을 하게 되면 책을 읽는 자세부터 달라진다. 토론을 하려면 책의 내용을 잘 기억해야 하고, 그에 대한 자신의 생각도 필요하기 때문이다. 그러므로 책을 읽는 것이 글쓰기에 도움이 되려면, 글을 쓰기 위한 책읽기를 해야 한다. 좋은 문장에 밑줄을 긋거나 발췌해서 필사를 해 보기도 하고, 내용에 대한 자신의 생각을 메모하면서 쓰기에 필요한 자료가 되도록 만들어 두어야 한다. 그리고 그것보다 더 중요한 것은 책의 내용에 대해 비판적인 생각을 가지고 판단해 보는 태도이다. 밑줄을 그을 때도, 필사를 할 때도, 토론을 하기 전에도 책의 내용에 대해 충분히, 오래 생각하는 시간을 가져야 한다. 구양수가 다독과 다상량이 중요하다고 말한 것도 바로 그런 이유에서다. 그런 뒤에 글을 쓰게 되면 책의 내용과 나의 생각들이 어우러지면서 창의적인 나만의 글을 쓸 수 있을 것이다.

3. 글을 쓸 때 말줄임표를 많이 쓰지 말라는 조언을 들었는데, 왜 그런가요?

언젠가 뉴스에서 나이가 들수록 SNS에서 말줄임표를 많이 쓴다는 말을 들었다. 그래서 말줄임표를 중장년층 화법이라고도 부른다고 한다. 정확한 이유는 나오지 않았던 걸로 기억한다. 어쨌든 말줄임표를 많이 쓰면 오해를 불러일으킨다. 학생과 선생님이 SNS로 대화를 나누는 상황을 보자.

학생 *선생님, 제가 쓴 독후감 읽어 보셨나요?*

선생님 그래, 읽어 봤어….

학생 (읽어 보셨는데… 말줄임표를 쓰신 건 뭔가 할 말이 있으시다는 건가?) 그런데요. 선생님??

선생님 잘 썼더라….

학생 (말줄임표는 할 말을 못 하신다는건가…. 내 글에 뭔가 문제가 있다는 건가? 뭐지?) 근데 선생님, 혹시 하실 말씀이 있으시면 편안하게 말씀하세요. 고쳐야 하나요?

선생님 아니 잘 썼다니까….

학생 (말줄임표는 뒷말을 생략한다는 의미인데… 어떻게 해석해야 하는 거지?) 감사합니다. 그런데 선생님이 말줄임표를 쓰셔서 뭔가 하시고 싶은 말씀을 안 하시는 건 줄 알았어요.

선생님 말줄임표…. 이거 내 버릇인가 봐….

어떤가? 직접 대면하고 대화하는 상황이 아닐 경우 말줄임표는 알아서 해석하라는 의미로 느껴지기도 하고, 말을 아끼겠다는 의미로도 느껴진다.

글을 쓸 때는 글을 쓴 사람에게 물을 일이 없어야 한다. 문학적인 글의 경우 아련한 뉘앙스를 주거나 독자가 상상하도록 하기 위해 말줄임표를 쓰기도 하는데, 자신의 이야기를 하려고 한다면 정확하게 의도를 설명해 주는 것이 좋다. 그런 이유에서 말줄임표를 남발하면 안 된다는 것이다.

4. 자신이 경험한 내용만 쓰는 건 좋은 글을 쓰는 방식이 아니라고 하는데, 그럼 남의 경험도 함께 쓰라는 말인가요?

글을 쓰고 첨삭을 받을 때 선생님께 들었던 말인데 잘 이해가 되지 않는다며 학생이 질문해 온 것이다. 선생님께 자세하게 설명해 달라고 왜 묻지 않았느냐고 했더니, 쑥스럽기도 하고 자신만 모르는 건가 싶었다고 한다.

앞에서도 설명했지만 글은 누군가 읽고 이해하며 공감하길 바라는 마음에서 쓴다. 즉 읽는 이를 설득시켜야 한다. 그러니 나의 경험만을 들어 이야기한다면 독자가 공감하기 어렵다. 나의 경험이나 구체적인 일에서 시작하더라도 일반화를 거쳐 보편성을 갖는 이야기가 되어야 설득할 수 있다. 광고만 봐도 '제가 좋아합니다'라는 표현보다는 '천만인이 좋아합니다'가 더 구미를 당긴다. 맛집을 찾을 때 한 사람이 맛있다고 댓글을 단 곳보다는 다수가 맛있다고 인정하고 추천하는 집을 찾는 것과 같다. 설득력을 갖추기 위해서는 논리적인 근거를 들어 자신이 주장하는 바를 전달하는 것이 필수적인 요소이다.

이자(李子)가 남쪽으로 어떤 강을 건너는데, 때마침 배를 나란히 해서 건너는 사람이 있었다. 두 배의 크기도 같고, 사공의 수도 같으며, 타고 있는 사람과 말의 수도 거의 비슷하였다. 그런데 조금 후에 보니, 그 배는 나는 듯이 달려서 벌써 저쪽에 닿았지만, 내가 탄 배는 오히려 머뭇머뭇거리고 전진하지 않았다. 그래서 까닭을 물었더니 배 안에 있는 사람이 말하기를

"저 배는 사공에게 술을 먹여서 사공이 힘을 다하여 저었기 때문이요."

하였다.

나는 부끄러워하지 않을 수 없었으며, 따라서 탄식하기를,

"아, 이 조그마한 배가 가는데에도 오히려 뇌물이 있고 없음에 따라 지속遲速(느림과 빠름) 선후가 있거늘, 하물며 벼슬을 경쟁하는 마당에 있어서랴? 나의 수중에 돈이 없는 것을 생각하매, 오늘날까지 하급 관리 하나도 얻지 못한 것이 당연하구나."

하였다. 이것을 기록하여 후일의 참고로 삼으려 한다.[17]

고려 시대 이규보가 쓴 〈주뢰설〉이다. 자신이 탄 배가 느리게 가는 개인적인 경험에서 유추하여 뇌물이 아니면 통하지 않는 사회의 모습을 비판하고 있다. 개인적인 경험만을 이야기하는 글이었다면 지금까지 읽히지 않았을지도 모른다. 개인적인 경험에서 깨닫게 된 바를 사회적인 현상

17 노진한, 《필수아이템 고전산문 2》, 디딤돌, 2006, 173쪽.

과 연결하여 비판하는 글로 마무리하면서 지금의 우리에게도 깨달음을 주고 있다. 단순히 자신의 경험만을 쓰는 것은 폭넓게 생각하지 않았다는 의미로 비쳐 설득력이 떨어질 수 있다는 것을 잊지 말자.

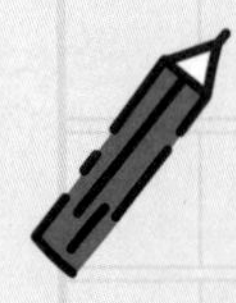

• 에필로그 •

글쓰기가 두려움에서 설렘으로 바뀌는 순간

또 한 권의 글쓰기 책을 끝냈다. 글쓰기가 두려움에서 설렘으로 바뀌는 순간이다.

쓰기 전에 가졌던 두려움은 글을 쓰면서, 그리고 다 쓴 뒤에는 이 글을 읽은 사람들과 함께 공감할 생각에 설렘으로 바뀐다. 지금이 바로 그런 순간이다.

프롤로그에서 말했던 것처럼 정말로 "책을 읽고 따라 쓰다 나만의 글쓰기 방법을 찾게 되었어요"와 같은 후기가 나올 수 있을까, 기다려진다.

글쓰기는 어렵다. 그러나 글쓰기가 누구에게나 어렵다는 것은 어찌 보면 나쁘지 않은 일이다. 자신의 생각과 지식을 글로 잘 표현하는 것은 누구나 어려워하기 때문에, 조금만 잘할 수 있다면 든든한 자신만의 무기가 된다.

책을 쓰는 기간 내내 나는 왜 또 책을 쓰는가, 하고 자문했다. 이런 생각이 이번만은 아니다. 매번 글을 쓸 때마다 나의 화두는 '나는 왜 쓰는가'이다. 그러나 이번 책을 쓰게 된 이유는 궁금한 것이 있으면 인터넷 검색 창이나 사전을 찾아보는 것처럼, 혼자 글쓰기를 하면서 어렵게 느껴질 때 뒤적거려 가며 함께 고민해 보는 교과서가 되길 바라는 마음이 컸기 때문이다.

'어떻게 하면 글을 잘 쓰게 할까'와 더불어 '어떻게 해야 글을 즐겁게

쓸 수 있도록 할까'라는 고민에 빠지기도 했다. 오랜 시간 글을 썼지만 나 역시 글쓰기가 그리 편해지지 않았기에, 즐겁게 쓰는 일이야말로 힘든 일이 아닐까 의문이 들기도 한다. 그렇지만 한편으로는 누구나 처음은 힘들어도 글이 주는 선물 같은 마력을 한 번만 맛본다면, 즉 두려움이 설렘으로 바뀌는 그 순간을 만끽한다면 아마도 글쓰기에 빠져들어 즐겁게 하지 않을까 생각해 본다.

잘 쓰지 못해도 괜찮다. 두려워하지만 않으면 된다. 글은 읽는 사람의 취향에 따라 좋은 글이 되기도 하고, 지루한 글이 되기도 한다. 책에서 내내 이야기한 것처럼 잘 쓰려 하지 말고 이해하기 쉽도록 쓰기만 하면 된다. 어려운 이야기를 하지 말고 내가 하고 싶은 이야기를 찾기만 하면 된다. 그러면 우리가 말하는 진솔한 글, 진정성이 담긴 글이 될 수 있다. 그게 전부다.

이 책의 모든 내용은 학생들이 글쓰기에 대해 가지고 있는 두려움을 없애는 데 도움이 되었으면 하는 마음으로 썼다. 특별한 내용이 있는 것

도 아니고, 어려운 내용이 있는 것도 아니다. 다만 한 편의 글을 처음부터 끝까지 써 보면, 한 번 가 본 길을 다시 갈 때 쉬워지는 것처럼 다음 글을 쓸 때 훨씬 쉬워질 수 있기 때문이다. 그것조차 힘들게 느껴진다면 책 속의 문장들을 필사하며 책에서 말한 내용을 천천히 읽어 보고 이해하면 된다. 그러면 할 수 있겠다는 생각이 들 때가 올 것이다.

한 권의 책을 읽는 것은 쉬운 일이 아니다. 인내심도 필요하고 책이 무언가 깨닫게 해 줄 것이라는 믿음도 필요하다. 그러니 이 책을 다 읽고 에필로그 부분까지 왔다면 칭찬받아 마땅한 일을 한 것이다. 이 책의 내용을 어떻게 활용할 것인지 실천 전략을 세워 글쓰기에 도움을 받을 수 있기를 진심으로 바란다.

'세상에 하나뿐인 내 글을 위하여!'

십대들이여,

★★★★★

별 다섯개 문장을 탐하라